KB077152

설레며 가는 길

- 호기심과 몰입 속에

설레며 가는 길

발　행 | 2024년 5월 15일
저　자 | 강기영
펴낸이 | 한건희
펴낸곳 | 주식회사 부크크
출판사등록 | 2014.07.15.(제2014-16호)
주　소 | 서울특별시 금천구 가산디지털1로 119 SK트윈타워 A동 305호
전　화 | 1670-8316
이메일 | info@bookk.co.kr

ISBN | 979-11-410-8406-6

www.bookk.co.kr

康基英의 自己歷史

- 호기심과 몰입 속에

설레며 가는 길

Prologue

언젠가부터 나의 흔적을 정리해 보겠다는 생각이 머릿속에서 조금씩 자라났다. 누구나 겪는 생로병사의 과정에서 나의 계절은 어디쯤일까. 지나온 길에는 어떤 흔적이 남아 있을까. 기억은 아름다울 수도 있지만 가슴 저릴 수도 있겠다는 생각에 노트북을 펼쳐보려 해도 엄두가 나질 않았다.

지난해 가을 전 직장 동료와 나눈 우연한 통화가 계기가 되었다. '따로 또 같이'랄까. 혼자 가기 어려우면 함께 간다. 그렇게 뜻이 비슷한 지인들과 함께 꾸린 자기 역사 쓰기 워크숍에서 카드 한 장을 고르란다.

사진 이미지 100장으로 구성된 카드를 몇 장 넘기다 보니 비빔밥 그릇을 찍은 화려한 사진이 눈에 들어왔다. 서너 장 뒤로 넘기니 짬짜면 사진도 보인다. 양해를 얻은 후 두 장을 책상 앞에 가지런히 놓았다. 순간 여러 가지 생각이 연이어 머리를 빠르게 스쳐 갔다. 혼란스러웠다.

각자 사진을 고른 이유를 설명하기 시작했다. 사진 한 장에 자기 정체성을 담아서 발표하는 일은 그리 수월치 않다. 하지만 제각기 공원에서 아이들과 시간을 보내는 장면, 등산 장면 등 완연하게 다른 상황, 느낌과 이유를 버무려, 지난 세월을 카드 이미지에 빌어 술술 풀어내 간다. 멤버들이 갑자기 존경스럽다. 연륜과 관록이 묻어나는 서사에 진정성이 물씬 드러나 보인다.

일순간 내 삶을 뒤돌아보니, 내게는 생각대로 된 것들이 그리 많지 않았다. 계획은 시작부터 틀어지기 일쑤이거나 목표에 터무니없이 미달하곤 했다. 애초에 진중하고 계획적이라기보다는 충동적으로 덤벼들고 게다가 무모함의 연속이었으니, 지나고 보니 내 인생은 총체적으로 뒤죽박죽 비빔밥이었다. 올바른 무엇 하나 제대로 되지 못했으며, 그저 딱 절반쯤 섞여서 짬짜면처럼 흘러왔던 모양새.

하지만 이제는 그런 나를 그런대로 받아들이고 싶다는 생각을 전했다. 경청해 주던 멤버들은 누구나 그렇다며 고개를 끄덕여 주었다. 소소한 공감에도 마음이 좀 편안해졌다. 그렇다면 나도 겨자씨처럼 소소하겠지만, 자기 역사를 정리할 수 있겠다는 생각이 조금씩 들기 시작했다.

仁王山 아래에서

목 차

▶이 책을 넘기는 모든 분들도 꽃 같으시길
기원 드립니다. - 천리포수목원 자목련

흑백사진의 기억

희미한 흑백 사진

뒤돌아보니 내 유년의 기억은 대체로 희미하다. 선명하지 못한 흑백이어서 화려하지 않다. 오래된 사진 한 장을 보았다. 이 사진을 처음 보았을 때 어머니께 물어보았다. 내가 몇 살이었으며 언제 어디에서 찍었던 것이냐고.

어머니는 그때 전방 군부대 주둔지에서 박봉의 군인 아내로 살림에 보태기 위해 당구장을 했더라고 대답해 주셨다. 지금으로 말하자면 벤처 창업. 당구장은 예상보다 성업했다 한다. 집에 일찍 들어가기 싫어하는 성향을 보인 일부 군인들의 유일한 오락은 당구였다. 당구는 요사이 골프보다 훨씬 더 강렬한 유행이었다. 내기 당구에 빠져든 군인 고객들은 부대 근무를 마치기가 무섭게 당구장으로 몰려왔다. 늦은 시간까지 시간 가는 줄 모르게 당구에 집중한 군인들은, 당구를 마치면 술집으로 몰려갔단다.

당구장이 번창하기 시작하자 당시에는 아주 고급이어서 비싼, 미제 과자와 장난감을 내게 잔뜩 사주고 혼자 놀도록 했다고. 어머니는 아버지가 다음 근무지인 경기도 소사에 있는 보병 제33사단으로 전근을 하면서 당구장을 정리할 수밖에 없었다.

권리금이란 개념을 알지 못해서 그냥 폐업했다. 이사하던 날에는 부대에서 사용하던 낡은 더플백 두 개에 가득 현금을 구겨 넣어서 왔다고 했다. 과장인지도 모르겠고 또 무언가 더 대답을 해주셨겠지만, 내 머리에는 선택적인 기억만 어슴푸레할 뿐 맥락이 이어지는 자세한 기억은 나지 않는다. 다만 내 생각에 이 아이는, 그러니까 나는 참 심심한 어린 사람이었겠구나.

사람들은 개인차가 있겠지만 대략 네 살쯤부터 인간의 초기 기억을 떠올릴 수 있다고 한다. 최근에는 어린 시절 기억이 2.5세부터 시작된다는 연구 결과도 발표되었다. 자기 삶을 재구성하려 할 때 근원을 묻는 초기기억은 매우 중요하다. "Who am I ?"에서 내가 언제부터 시작되었느냐는 물음과 답변은 필수적이지만, 적어도 내 경우에는 시작부터 명료하지 못한 희미한 출발이라는 생각이 문득 든다. 내가 나를 처음 떠올렸던 그 사진도 이제는 사라져 버렸다. 아무리 찾아보아도 찾을 수 없다.

내 출생지는 강원도 양구이다. 아버지 강병현(康炳賢) 260203, 어머니 현병희(玄炳姬) 270116 사이에 2남 2녀 중 둘째인 장남으로 태어났다. 아버지의 출생지는 평안북도 정주군 고안면 봉명리 65번지. 어머니의 고향은 정주군 남서면 하월리. 직업군인이었던 아버지 부대 배치에 따라 두 살 위 누이의 출생지는 경기도 포천, 3년 아래 남동생은 강원도 화천, 막내 여동생은 부천군 소사읍(1973년 행정구역 개편으로 현재 부천시)이다. 언젠가 아내와 함께 양구를 여행하며 출생지에 대한 기억을 되살려보려 했으나 아무런 연결고리를 찾지 못했다. 결국 막국수 한 그릇으로 배를 채운 채 헛헛한 마음으로 돌아온 적도 있다.

돌아오는 길, 양구읍 정림리 마을에 있는 양구군립박수근미술관엘 들렀다. 가장 한국적인 화가로 평가받고 있는 박수근 화가의 그림을 찬찬히 들여다보았다. 2012년 책 한권을 샀다. 박완서 작가 1주기 기념으로 열화당에서 출간한 작가의 첫 소설집 『나목』이었다. 책값이 10만원인지라 고민을 좀 하다가 주문했다. 정확하게 말하면 두 권 한 세트로, 1976년 초판 출간된 느낌의 세로쓰기로 활자 인쇄했다. 한정판 500질중에서

254번째 권을 배본 받았다. 소설은 박완서 작가가 쓴 박수근 작가의 이야기다.

어린 시절, 가끔 뿌리의 의미를 생각한 적도 있다. 우리 가족에게는 내왕하는 가까운 친척들이 별로 없었다. 그 이유는 아버지와 어머니의 고향이 북한이며 가까운 친척들은 대부분 고향을 지켜서라는 대답이 돌아왔다. 전쟁 중이지만 사람들은 전선을 피해 고향으로 돌아가기도 했으며 휴전 초기에도 다시 월북한 경우도 있다고 했다.

남한에 정착한 부모님의 생활이 점차 안정되면서 가끔 먼 친척이나 고향 지인들을 다시 찾았다는 이야기를 듣기도 했다. 그분들이 우리 집을 방문하기도 했다. 내가 마주치게 되는 동네 사람들의 사촌쯤의 관계는 우리 가족에게는 14촌쯤과 어슷비슷하니 우리 부모님들은 고향에 인연이 있던 지인들을 매우 살가워했다.

기억의 이음

신천강씨(信川康氏)는 미수복 지역인 황해남도 신천군이 본관이다. 고구려 출신의 강호경(康虎景)이 시조, 원시조 강후(康候), 중시조 강지연(康之淵)인 가계이다. 현재 남한에는 제주시 조천읍, 서귀포시 등지에 집성촌이 유지되고 있다. 총인구는 2015년 기준 52,945명이니 초미니 성씨인 강(康)씨는 신천, 곡산(谷山), 재령(載寧), 충주(忠州), 진주(晉州), 평양(平壤) 등 10여 개 본관이 전해지고 있으며 신천 강씨 족보로 통합하였다.

《신천강씨대동보(信川康氏大同譜)》에는 성씨의 기원을 "주나라(周) 무왕(武王)의 동생 강숙(康叔)의 둘째 아들 강후(康候)가 기원전 198년에 조선 평양에 들어와 왕실을 교화한 공으로 기자로부터 강씨 성을 받았다"라고 전한다.

"시조 강호경(康虎景)은 김관의의 고려편년통록(高麗編年通載)에 의하면 고구려 출신으로 강후(康侯)의 68대손이며 처음 이름은 강기(康騎), 신라의 성골장군(聖骨將軍)을 지냈다고 한다. 고려 태조 왕건의 외 6대조"라고 한다.

"강호경의 14세손인 강지연(康之淵)이 고려 명종(明宗) 때 문하시중(門下侍中)을 지내고 1231년(고려 고종 18) 몽골의 개경(開京) 침략으로 이듬해 강화도(江華島)로 천도할 때 왕을 호종하여 호성공신(扈聖功臣)에 올라 신성부원군(信城 府院君)에 봉해졌다"라고 한다.

"본관인 신천(信川)은 황해도 중앙부에 위치하는 지명으로 고구려 때는 승산군(升山郡)이었고 고려 때에는 신주(信州)라고 하였다. 757년(신라 경덕왕 16) 두 지역 모두 중반군(重盤郡)에 소속되었고, 궁홀은 궐구(闕口)로 개칭되었다. 승산과 궐구는 태봉 때 또는 고려의 후삼국 통일 전에 신주(信州)와 유주(儒州)로 개칭된 것으로 짐작된다. 신주는 995년(성종 14) 방어진으로 바뀌었다가 1012년(현종 3) 폐지되고 황주(黃州)의 속현이 되었다. 유주는 1018년 풍주(豊州)의 속현이 되었다가 1259년(고종 46) 문화현(文化縣)으로 승격하였다. 1413년(태종 13)에 신천으로 개칭되어 현감을 두었다가 1469년(예종 1)에 군으로 승격되었으며, 1909년에 문화군과 병합되었다."

평안북도 정주에서 태어난 아버지는 서울에서 학교(경성전기학교, 후일 수도공과대학을 거쳐 홍익대학교 공과대학으로 병합)를 다니다 어머니와 혼사를 급하게 치르셨다. 1943년 4월 5일, 일제 말기 일본의 이른바 "처녀 공출"을 피하기 위해서였다 한다. 혼인 이후에도 어머니는 고향에 그대로 남아 계셨다. 아버님은 서울 생활을 하다가 합가를 준비하던 중 갑자기 6.25가 일어났다. 육군에 입대한 아버지는 전쟁을 피해 고향에서 피난 나온 어머니를 만났다 헤어지기를 몇 차례 반복한 뒤, 휴전된 이후에서야 살림을 본격적으로 합치게 되었다. 애통한 것은 피난 중에 두 아이를 하늘로 먼저 보낼 수밖에 없었다.

잔혹한 전쟁과 피난 생활, 게다가 아이들을 앞세운 참척의 고통을 겪었지만, 부모님이 그러한 고통을 표현하신 적은 거의 없었다. 형제들이 성장해서 무언가 이해하기 시작했을 때도 어머님은 "아이고, 그때는~ 참……"이라며 말꼬리를 흐리시곤 했다. "참……"이라는 한 단어에 숨어 있는 일들을 헤량하기에는 나는 너무 어렸으며 생각의 그릇이 작았으니. 하지만 생활은 근면했고 자식에 대한 애정은 각별했다. 우리 가족에게 특이한 점은 가내에 제사가 전혀 없었으며, 명절이면 찾아오거나 놀러 갈 친척이 전혀 없었다.

대추나무집 아이들

전방을 전전하다가 보병 제33사단으로 전근한 부친을 따라 소사로 이사한 가족은 기차역 인근에 세를 얻었다. 얼마 후 어머니가 집주인에게 돈을 꾸어주었으나 되돌려 받기 어려운 상황이 생겼다. 집주인은 소유하던 기차역 앞에 있는 집과 또 다른 한 채의 집을 보여주며 빚 대신에 명의를 넘기겠다는 제안을 했다.

부모님은 번화하여 시끄러운 역전 집 대신, 역에서 멀리 떨어진 한적한 집을 선택하셨다. 소사읍이 부천시로 승격하고 전철이 개통되며 역전 집의 가치는 다락같이 오르기 시작했다. 가끔 어머니는 낭만적인 선택을 아쉬워했다. 어쩌면 부동산에 인연이 별로 없는 나도 그런 유전자를 닮은 게 아닐까 생각도 했었다.

변두리 신작로 집으로 입주하기 전, 잠시 적산 가옥으로 집을 옮겼다. 일본인들이 지어서 거주하다 퇴거했다는 적산가옥은 검은 판자로 외벽을 마감한, 오래된 집이었다. 구석방 한 칸에는 다다미가 깔려있었다. 다다미방에서는 눅눅하고 퀴퀴한 냄새가 가득 배어 있었다. 헛간 지하에는 일제 강점기 비행기의 공습을 피해 만들었다는 방공호가 있었다. 한여름에 방공호를 덮은 낡은 나무판자를 들어내고 땅속으로 슬며시 숨으면 무더위에도 온몸이 시원했다. 적산 가옥은 아이들에게는 천연의 놀이터였다.

가을 김장철에는 방공호에 무와 배추 그리고 고구마 등을 저장해 두고 겨울을 났다. 겨울에는 밤이 춥고 길었다. 이른 저녁을 먹고 장난을 치다 보면, 잠들기 전 뱃속이 출출했다. 형제들은 부엌에서 식칼을 찾아들고 양초를 켠 채 헛간으로 두런거리며 몰려간다. 저장고를 덮은 나무판자를 들어내고 차가운 마룻바닥에 배를 깔고 엎드린다. 냉기가 온몸을 감싸지만, 캄캄한 어둠 속으로 칼을 깊게 찔러내려 고구마를 두세 개 꿰어 올린다.

초겨울에는 간단하게 고구마를 건져 올릴 수 있지만 겨울이 깊어지면 팔을 최대한 뻗쳐보아도 칼끝이 목표물에 닿지 않는다. 깎은 고구마 조각을 베어 씹으면 아삭거리는 고구마의 단맛이 오래도록 혀에 남는다. 가끔 고구마는 파랗게 썩은 부분이 입안에 들어오기도 한다. 씁쓸한 맛에 퉤퉤 소리 내며 뱉어내곤 하지만, 머리를 마주 댄 아이들에게 고구마는 한 겨울 맛난 주전부리였다. 채 겨울이 다 가기 전에 고구마는 바닥을 보인다. 그러면 맛이 훨씬 덜한 무를 꺼내기 시작했다. 그즈음 무에는 숭숭 바람이 들어 있곤 했다.

마당에는 우람한 대추나무가 가지를 펴고 있었다. 줄기는 새까맣고 잎은 무성해서 하늘을 가리고 있었다. 가끔 나뭇가지 중간에 줄을 매어 그네를 탔다. 비 오는 날 빈 그네를, 창문을 통해 바라보면 기운이 빠졌다. 가을에는 장대로 가지를 쳐대면 대추가 비처럼 후드득 쏟아져 내렸다. 동네 아이들은 아무나 무시로 우리 집을 제집처럼 드나들며, 대추를 입안에 넣고 우물댄 다음 씨를 멀리 뱉어냈다. 가끔 누가 멀리 보내는지도 경쟁하면서.

2010년 경북 경산에 있는 자동차 부품업체 효림산업을 방문하던 길이었다. 한적한 교외 도로를 운전해 가다 보니 길가에 대추밭이 보였다. 유년 시절 적산 집 마당의 대추나무가 떠올라 길옆에 차를 멈췄다. 차 문을 열고 내려 농원으로 걸어 들어갔다. 가슴을 펴고 숨을 크게 들여 마시니 푸르른 대추나무의 향이 온몸 구석구석 퍼져 들었다.

풋대추를 한 봉지 사서 들고 아삭거리는 대추의 살을 한입 깨물며 운전석에 올랐다. 아삭거리는 식감 속에 달콤한 침이 입안에 고였다. 차창을 내리고 대추씨를 길옆으로 길게 뱉어보았다. 내 기억 속의 대추나무가 바람에 슬쩍 흔들렸다. 아마도 어린아이였던 내가 만났던 적산 집 마당의 대추나무는 무척이나 울창했을 것이다.

쉘 실버스타인의 1964년 작 『아낌없이 주는 나무』가 생각났다. 소년과 사과나무는 친구였다. 소년이 자라면서 돈이 필요해지자 나무는 자기 열매를 팔아 쓰라고 했다. 소년은 열매를 모두 가져갔다. 아이가 어른이 되자 집이 필요했다. 나무는 자신의 가지를 모두 주어 집을 짓게 했다.

세월이 지나 남자는 먼 곳으로 떠나고 싶어졌다. 나무는 줄기를 내어주어 배를 만들게 허락했다. 오랜 시간이 지난 뒤 노인이 된 남자가 나무 곁으로 돌아왔다. 단지 그루터기만 남은 나무는 피곤해서 쉴 곳이 필요한 노인에게 기꺼이 앉아서 쉴 자리를 자청했다.

사과나무와 소년은 어쩌면 나의 이야기가 아니었을까. 그렇다면 나는 사과나무 쪽일까 소년 쪽이었을까?

흙먼지 길, 신작로에서

한적한 신작로 길갓집으로 이사한 다음, 아버지는 동네 사람들의 도움을 받아 흙벽돌을 손수 찍어가며 낡은 집을 수리해 나갔다. 황토를 체에 쳐서 고운 가루를 분리해 내고 짚단을 적당한 길이로 작두로 잘라 섞어서 물로 반죽한다. 찰기 높은 진흙을 블록 틀에 넣어서 누른 뒤 틀을 제거하고 말리면 그 자리에서 벽돌이 완성되었다. 켜켜로 쌓여 오르던 황토 벽돌은 신기하고 질서정연했다. 며칠에 걸쳐서 벽 쌓기가 마무리된 다음 방 가운데 들어가 보니 뻥 뚫어진 새파란 하늘이 희망처럼 환해 보였다.

온 가족이 아이에서 어른까지 모두, 방 한 칸에서 꼬물거리며 부대끼며 살아가는 것이 당연한 시절이었다. 그 방에서 막내 여동생이 태어났다. 출산이 임박해지자, 동네 산파 할머니가 달려오고, 마당은 이웃집 아줌마들로 분주해졌다. 어머니가 출산을 준비하는 동안 우리 삼 형제는 마당으로 쫓겨났다. 목을 길게 빼고 방안을 기웃거리다가 지청구를 듣기도 하고 우물가에서 물장난도 하면서 동생이 나오기를 고대했다. 식구가 그렇게 한 명 늘었다.

장롱을 갖추지 못하고 살던 시절이라 아버지는 벽에 대못을 줄지어 박았다. 아버지 부대의 부하들이 정렬하듯, 한 줄로 선 못 대가리에 옷을 가지런하게 걸었다. 어머니는 광목으로 만든 가리개를 사 와서 옷가지를 덮어 가렸다. 네 귀퉁이에 울긋불긋한 색실로 자수 놓아졌던 무늬들이 얼핏 슬픔처럼 기억난다. 당시에는 유행이었을 테지만 이제 촌스럽게만 보이는 노랑, 빨간, 초록색실의 무늬가 아련하게 그립다.

추위가 채 가시지 않은 이월 어느 날 동네 친구들이 안 보였다. 알고 보니 국민학교 예비 소집으로 학교에 갔단다. 모두 나보다 한 살 위인 아이들이었다. 심심해진 나는 나도 학교를 보내달라고 했다. 부대에서 퇴근한 아버지는 학교에 일 년 먼저 입학을 요청했다. 책걸상이 부족하다는 완곡한 거절에, 아버지는 부대의 목공병에게 책상과 걸상을 만들게 해서 지프차 뒤에 실어다 주고 학교로부터 입학을 허락받았다. 당시에는 그러한 일들이 지금보다 훨씬 유연했다.

집 앞 신작로는 비포장 길이었다. 지금은 4차선 경인 국도로 교통량이 폭주하는 도로이지만 당시에는 트럭이나 시외버스가 가끔 지나다니는 한산한 길이었다. 해가 저물면 집집이 이른 저녁을 먹고 길가에 만들어 놓은 평상으로 모여들었다. 두런거리며 이야기꽃을 피워냈다. 나는 동네 친구로 같은 학년인 김서현과 김상준과 주로 몰려다녔다. 시 승격 이전의 소사읍이라는 지역은 교과서에 복숭아의 주산지라 적혀있었다. 학교에서 사회와 자연 과목을 배우며 대구는 사과, 성환은 배, 소사는 복숭아라고 외웠다.

복숭아꽃은 예뻤다. 꽃이 진 다음 풋복숭아가 열리면 동네 사람들은 복숭아에 씌우는 봉지를 만들기 시작한다. 신작로 건너에는 고물상이 있었다. 빨갛게 녹이 난 못 한 토막이나, 떨어지고 구멍 난 고무신 한 짝일지라도 강냉이나 엿을 바꾸어 먹던 시절이었다. 그 고물상에서 신문지나 폐지를 근으로 사다가 적당한 크기로 잘라낸 다음, 종이 한쪽 끝에 풀을 칠해서 붙이면 완성되는 간단한 작업이었다. 한 묶음씩 차곡차곡 정리해서 과수원에 전하고, 받은 몇 푼돈을 살림에 보탤 수 있었다.

우리 집에서 소사삼거리로 가는 길 중간에는, "넓은 들 동쪽 끝으로. 옛 이야기 지줄대는 ~"이란 노랫말로 유명한 『향수(鄕愁)"』의 작가 정지용 시인이 살았던 집이 있었다. 대략 300미터 정도 떨어진 곳인데 1943년부터 약 3년 동안 거주했다고 한다. 6·25 전쟁 중에 행방불명된 작가를 우리나라 정부에서는 월북 작가로 분류해 모든 작품을 판금시켰다. 우매한 시절이었다. 1988년에서야 비로서 해금되어 다시 빛을 보게 되었다. 우리가 자랄 때에는 잘 몰랐으나, 우리 가족이 다니고 내가 결혼식을 치른 부천성당이 공소에서 성당으로 승격되는 과정에도 정 시인이 크게 기여했다고 한다.

어느 날 신작로에서 차가 급정거하는 소리가 들려왔다. 누군가 대문을 박차고 들어서며 다급하게 소리쳤다.

"아줌마, 큰일 났어요! 기성이가 차에 치였어요. 빨리 나와 보세요."

어머니는 신발도 잊은 채 신작로로 내달렸다. 누나와 나도 허둥대며 뒤를 따랐다. 길가에는 미군 지프차가 비스듬하게 멈춰있었고 남동생은 흙먼지를 뽀얗게 뒤집어쓴 채 길가에 엎어져 있었다. 또래 아이들과 장난을 지던 동생은 신작로를 뛰어 건너다 넘어졌는데 그 순간 미군차가 동생을 덮쳐 지나갔단다.

잠시 후 정신을 차린 동생은 놀랍게도 멀쩡했고, 눈만 껌뻑대고 있었다. 사고를 직접 봤거나 전해 듣고 모여든 사람들이 신작로를 가득 메웠다.

동네 사람들의 걱정 어린 눈길을 뒤로하고 동생은 미군 차에 실려 병원으로 출발했다. 부평의 미군 부대 병원을 다녀오는 길에 미제 과자와 초콜릿을 한 아름 얻어서 의기양양하게 집으로 돌아왔다. 손바닥과 무릎에는 '아까징끼'를 바른 채 하나도 아프지 않더라고 우쭐거렸다. 그날 밤 이불 속에서 녀석은 지프차가 다가오자 납작 엎드려서 차를 날쌔게 피했다고 자랑하다 잠에 빠져 들었다. 시간이 지난 다음 보니, 동생이 무사했던 이유는 그가 날래서가 아니었다. 전투용으로 만들어진 미군차량의 차축이 높아서였다고 확신한다. 게다가 아무 곳도 아픈데 없이 멀쩡하다는 말도 필시 아버지가 무서워 그랬을 것이다. 내가 본대로는 사실, 한참 동안 다리를 약간씩 절고 다녔으니까.

코로나가 극성이던 3년 전, 친구 인웅과 부천역에서 만났다. 소설『대지』의 작가 펄벅 여사 동상 앞에서 만난 그가 부천 자유시장에 들어가 보자고 했다. 오래된 친구를 만나, 오래된 동네, 오래된 시장을 돌아봤다. 시장은 나의 유년기 추억을 떠올리게 하는 곳이다. 그곳에는 당시 국내 최대 산지라고 지리 교과서에 쓰여 있던 소사 복숭아 과육 냄새가 황홀하게 진동하고 있었다. 백설탕을 꾹 찍어 먹으면 눈앞이 환해지던 찐빵의 팥소와 들척지근한 고기만두의 추억도 배어있다. 비가 오면 시장 가운데 길은 팥죽처럼 질퍽해졌고 장화를 신고서 그 길을 재미 삼아 여러 차례 왔다 갔다 했다.

그 시장 통 가운데로, 사람들 물결에 섞여서 좌우로 눈을 굴리며 아이처럼 걸었다. 코로나로 불황이지만 물산은 넘쳐나고 마스크를 쓴 인파는 소란스럽고 복잡한데, 저 건너편 가게 모퉁이에서 무언가를 흥정하고 있는 나의 모친이 얼핏 보이는 듯했다. 오십여 년 전 젊은 시절 어머니 모습. 시장 끝에는 놀랍게도 신앙촌상회가 아직 영업하고 있다.

종교와 경제와 사회가, 이상과 현실에서 충돌하며 얼크러졌던 그때, 국민학교 시절 우리 반에도 가족이 가진 전 재산을 헌납하고 신앙촌으로 입주한 급우가 있었다. 그는 얼마 지나지 않아 학교를 그만두었다. 반공과 경제발전이라는 명제 아래, 모두 같은 방향으로 달려갔던 우리의 삶이 이제 쇠락한 옛 가게 앞에서 부질없게 느껴진다.

복숭아꽃 대궐

물자가 풍부하지 않았던 시절. 어머니는 내게 합(뚜껑 있는 밥공기)에다 도시락을 싸서 손수건으로 묶어 주셨다. 합이란 본디 어른들의 진지를 차리는 용도이거나, 아랫목 이불아래 밥을 묻어서 보온을 하는 그릇 아니던가. 매듭을 풀기도 귀찮고 또 다른 아이들이 가지고 다니는 사각형 알루미늄 도시락이 무척 부러웠다. 실용성을 앞세운 검소한 성격의 어머니에게 여러 차례 불만스럽게 도시락을 사 달라고 이야기한 다음에서야 노란색으로 찬란하게 빛나는 새 양은 도시락을 얻어서 다녔다.

다른 아이들은 비가 오는 날에는 보통 푸른 비닐우산이나 비옷에 장화를 신고 다닌다. 그러나 실용적인 어머니는 내게 아버지의 장교용 우의를 줄여서 입혀주었다. 나는 그것도 좀 창피했다. 우비 자락에서 떨어진 빗물로 신발은 순식간에 젖어 버린다. 재봉틀로 박음질한 우비 안쪽에는 빗물이 스며들었다. 학교에 도착해서 우비를 벗고 나면 상의는 반쯤 젖어있기 일쑤였다. 게다가 우산은 복도에 놓아둔 양동이에다 꽂아두지

만 우비는 보관하기가 마땅치 않았다. 역시 불평을 길게 늘어놓은 다음에야 우산을 얻어 쓰고 다닐 수 있었다. 지금도 도시락이나 우산을 보면 가끔 내 입가에는 웃음이 돈다.

소사남국민학교는 6년 내내 한 반에 아이들이 90여 명이 넘었다. 4학년부터는 오전반과 오후반을 교대로 바꾸어가며 등교했다. 2024년 3월, 우리나라에 신입생이 단 한 명도 없어 입학식이 사라진 학교가 157곳이라는 보도와는 격세지감이다.

비가 오던 어느 날, 선명하게 기억나는 한 장면.

그날은 오후반이었다. 점심을 한 그릇 후딱 해치운 다음 우산을 펴고 대문을 나서려는데 어머니가 부르셨다. 어머니는 내게 하얗고 동그란 사탕 한 알을 입에 톡 넣어주셨다. 혀에 닿은 알사탕은 몹시 달았다. 환상의 맛이었다. 단단한 사탕 한 알은 학교에 도착할 때까지 반도 녹지 않았다. 빗물에 잘박대며 우산을 쓰고, 사탕을 빨며 학교 가는 길이 참 즐거웠다.

철학자 서동욱의 에세이집 『철학은 날씨를 바꾼다』를 읽다가 "비가 오는 예외적 하루를 좋아한다. 하루라는 낱말은 아주 가볍고 보드라운 어떤 생명 같아서 발음할 때마다 선물처럼 반갑고, 어제의 시간으로 보내야 하는 일이 아쉽다."라는 대목에 눈길이 갔다. 내 기억 가운데 선명한, 비 오는 날의 순간이 바로 예외적 하루였을까. 그렇다면 어머니가 내게 건넸던 사탕은 바로 선물이었을 것이다. 비 맞으며 키가 무럭무럭 자랐고, 사탕을 받아먹으며 생각도 이것저것 많아졌을 것이다.

하교 길에는 복숭아밭 앞으로 지나오게 된다. 봄철, 꽃 피는 복숭아밭은 천국이다. 흐드러진 복숭아꽃이 그득한 복숭아밭은 말 그대로 꽃 대궐이다. 비가 많이 오는 날에는 철조망으로 둘러쳐진 밭고랑마다 빗물이 넘쳐난다. 초여름 빗방울과 바람에 견디지 못하고 떨어진 풋복숭아들이 길가로 떠밀려 나온다.

나는 우산을 어깨에 걸치고 밭고랑 끝에 쪼그리고 앉았다. 등에 메고 있던 가방을 벗어 뚜껑을 재빠르게 열었다. 이른바 '란도셀'(ランドセル)이라고 부르던 검은색 멜빵가방. 춤을 추며 둥둥 떠내려 오는 복숭아들을 한 손으로 건져 책가방 가득 꾹꾹 눌러 담았다. 가벼운 발걸음으로 집에 돌아와 가방을 열고 보니 책과 공책이 모두 젖었다. 주워 온 복숭아는 설탕을 대용하는 사카린 가루를 물에 녹여 달달하게 만든 물에 담갔다. 누나와 남동생이 주섬주섬 덤벼들어 풋복숭아를 집어 들었다. 맛있게 나누어 먹었다.

밤에는 아버지께 회초리로 몇 대 맞았다.

라면 먹고 무협지

1968년 7월 15일, 문교부는 전격적으로 중학교 무시험 진학제도를 발표한다. 중학교부터 입시 경쟁이 과열하는 폐해를 완화하기 위하여 추첨으로 중학교를 진학하는 제도였다.

중학교 입시 폐지는 1969년도에는 서울특별시만 실시했다. 1970년도는 부산 · 대구 · 광주 · 인천 · 전주 · 대전의 6개 도시에, 1971년도부터는 전국적으로 실시한다는 것이다. 서울의 중학교로 진학을 준비하던 수도권의 아이들에게는 황당한 사건이었다. 서울의 학생들은 환호했으나, 나를 포함한 우리 초등학교 동창들은 뒤통수를 얻어맞은 듯한 상황이었다.

어쩔 수 없이 인천 제물포역 인근에 있는 인천남중학교에 지원했다. 3.6대 1이라는 경쟁속에 입학한 중학교에서는 신입생 등록 기간에 지정한 책을 한권씩 도서관에 기증하게 했다. 아버지는 중령 계급장을 단

정장 군복 차림으로 나를 데리고 집을 나섰다. 제물포역 앞의 큰 서점에서 책을 산 다음, 서점 옆에 있던 음식점에서 삼양라면을 사 주셨다. 보름달처럼 노란 달걀이 얹혀 나온 라면은 신기한 맛이었다. 뜨겁지만 짭조름한 라면 국물과 면발은 순식간에 사라져 버렸다. 라면을 먹는 나를 물끄러미 쳐다보시던 아버지는 먼저 부대로 복귀하셨다. 아버지와 헤어진 나는 남중학교 도서관에 책을 제출하고 처음으로 혼자서 제물포역에서 기차를 타고 소사역에서 내려 집으로 돌아왔다.

입학식 직전에 새파랗게 밀어 올려 깎은 까까머리 뒤통수에 인천 앞바다의 바닷바람이 서늘했다. 후일 딸의 성균관대 입학 시에도 똑같이 도서관에 책을 기증하라는 안내를 받고는 옛 생각이 문득 떠올랐다. 중학교엘 입학하는 큰아들에게 라면을 사 먹이며 아버지는 무슨 생각을 하셨을까 참 궁금하다.

일 학년 학기 초에 도서반에 가입했다. 한 주일에 2번꼴로 수업이 끝나면 도서관에서 사서의 역할을 자율적으로 수행했다. 도서반 활동을 하는 날에는 학급 청소를 면제해 주었다. 수업이 끝나면 학교 매점에서 라면을 사 먹었다. 매점 아줌마는 도서반이라 말하면 긴 줄이 늘어서 있어도 먼저 라면을 내주었다.

도서관은 운동장만큼 넓었다. 먼저 주어진 임무는 청소. 땀을 흘리며 곳곳을 청소한 다음 KDC 십진 분류체계에 따라 책을 분류해서 도서 카드를 기록했다. 책을 입고하고 수거하는 전체 과정, 대출과 반납, 연체 관리가 재미있었다. 하지만 더욱 쏠쏠한 것은 따로 있었다.

짬이 나는 대로 무협지를 섭렵했다. 손바닥에서 장풍을 밀어내고 두세 길 붕붕 날아다니며 창검을 휘두르는 무협지는 세로쓰기로 인쇄되어 있었다. 한 문장이 끝나면 동그란 마침표가 선명했다. 도서관을 나오다가 돌아보면 하루가 뿌듯했다. 하교가 자주 늦어지자, 집에서는 도서반을 당장 그만하라 했다. 우물쭈물 부모의 말을 듣는 듯 학기 말에 도서반을 마무리했지만, 실은 한 학기가 지나자 웬만한 무협지는 통달하게 되었던 것이 사실이다.

이듬해부터 광석검파기라는 소형 라디오 조립에 흥미를 갖게 되었다. 용돈을 아껴 하교 후 제물포에서 동인천까지 한 시간여를 걸어 다녔다. 동인천까지 걸어가는 길에는 볼거리가 많았다. 숭의동 로터리를 지나 인천공설운동장 야구장 앞을 지나면 문틈으로 야구 경기를 볼 수 있었다. 신나는 관중들의 함성도 터져 나왔다. 배다리를 지나면 헌책방 거리였다. 중고 잡지를 구경하고, 해적판으로 만든 팝송 LP 레코드를 구경했다. 배다리를 지나면 미군 부대에서 흘러나오는 군복을 취급하는 옷가게들이 늘어서 있었다. 군복가게 사이에 청바지 가게가 붐볐다. 내가 살던 소사에서는 볼 수 없는 광경이었다. 큰물에서 노는 유쾌한 기분이 살짝 들었다.

동인천 전자상가는 전자기기나 음향기기를 취급하는 가게들이 길게 늘어서 있었다. 골목 초입부터 상가 끝까지 가게들을 기웃거리다 보면 시간은 금방 흘러갔다. 대체로 가격을 싸게 부르는 가게에서 트랜지스터, 콘덴서, 저항 등의 부품을 사다가 밤을 새워 조립했다. 몇몇 관심이 비슷한 친구들과 잡지를 돌려보며, 전자 회로를 그려가며, 납땜을 해서 만들기에 몰두했다. 각자 만든 조립품을 들여다보며 대단한 과학자나 발명가가 된 듯 착각을 했다.

忍苦의 르네상스

인천 시내 한 가운데 율목동에 교정이 있던 인천고등학교는 도시 확장에 따라 외곽동네인 석바위로 이전해 있었다. 입학시험을 치르러 학교에 가니 학교 주변에는 건물이 한 채도 없고 3층짜리 교사 한 동만이 논과 밭 사이에 덩그러니 자리 잡고 있었다. 학교 내부에도 점심을 먹을 공간이 부족했다. 수많은 수험생과 부모들이 주변 밭둑에서 도시락을 펼쳐놓고 점심을 먹는 진풍경이 벌어졌다.

나 역시 그렇게 엉거주춤 앉아서 점심을 먹으며 교정을 바라보니 교사 벽에 큰 글씨로 쓴 "르네상스 인고"라는 슬로건이 눈에 들어왔다. 처음 접한 르네상스라는 어감이 멋져 보여서 궁금한 마음이 일었다.

입학식에서 김세기 교장선생님은 전통을 가진 명문 학교로서의 칠십여 년 역사를 다시 부활하자는 취지로 르네상스를 언급했다. 르네상스(Renaissance)는 '다시(re) 태어남(naissance)'이란 뜻으로 고대 그리스와 로마 시대의 찬란한 문화를 부활시키고자 한 시대적 움직임이라는 말씀에 호기심이 일었다. 200년에 걸친 문예의 폭발이라는 설명에 가벼운 흥분을 느꼈다. 아울러 대학 진학이나 야구의 중흥 등 우리 학교와 신입생들이 처한 상황과 과제를 열거하며 마치 신입생들이 무언가 큰일을 이루어낼 수 있으리라는 자신감을 북돋아 주셨다.

르네상스는 그냥 만들어지지 않는다. 고통을 감내하고 대변혁을 이루어야만 된다. 인천고등학교를 칭하는 仁高는 忍苦의 르네상스여야만 한다. 르네상스라는 단어는 오롯이 내 머리에 들어와 박혔다.

이어서 입학을 축하하는 KBS 라디오 공개 녹화가 진행되었다. 건전가요 보급으로 이름이 널리 알려진 전석환, 박상규 선배가 후배들의 입학을 축하하기 위해 게스트로 나와 노래를 불렀다. 라디오나 TV에서 보던 가수를 직접 보니, 그것도 선배라는 동질감에 마냥 신기한 느낌이었다.

어린 시절 나는 "김찬삼의 세계 여행"을 열심히 읽었다. 그는 아버지의 고향인 황해도 신천 출신의 여행가로 내가 입학하기 몇 년 전까지 인천고의 지리 교사를 하다가 수도여자사범대학교(현 세종대학교)로 자리를 옮겨 있었다. 해외여행이 금지되었던 시절인 1958년부터 세계여행을 시도한 그는 세계 일주를 세 차례나 하고 20여 번의 세계 테마 여행을 통해 160여 개 나라 1,000여개 도시를 방문한 우리나라 대표적 1세대 여행 선구자다.

동경과 부러움의 대상이었던 여행가의 체취를 인고에서 직접 대면으로 느낄 수는 없지만 해외여행을 가고 싶은 열망이 살살 자라나기 시작했다. 특히 르네상스의 발원지이자 문예부흥으로 문명의 꽃을 다시 피워낸 이탈리아와 유럽을 여행해 보고 싶어졌다. 어린 내게 확실한 동경을 심어준 "김찬삼의 세계여행" 등을 비롯해, 그의 여행기는 베스트셀러가 돼 우리나라 젊은이들에게 너른 세계의 모습과 풍물을 전한, 세계를 향해 열린 창 노릇을 했다. 해외여행에 대한 호기심은 어린 시절 집에서 구독했던 소년한국일보의 이원복이 그린 만화에서도 마찬가지였다.

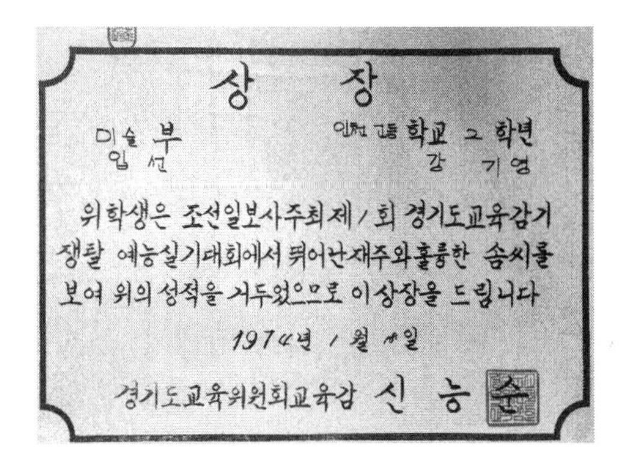

상 장

미술 부 입선

인천 고등 학교 2 학년 강 기 영

위학생은 조선일보사주최 제1회 경기도교육감기 쟁탈 예능실기대회에서 뛰어난재주와훌륭한 솜씨를 보여 위의 성적을 거두었으므로 이상장을 드립니다

1974년 1월 4일

경기도교육위원회교육감 신 능 순

김찬삼 선생님은 후일 인도를 여행하다가 열차 사고로 머리를 다친 후 유증으로 언어장애를 겪고 뇌출혈 등으로 투병하다 세상을 뜨셨다. 생전에 영종도에 "세계여행문화원"을 설립해 여행 기록과 자료를 한데 모아 전시했지만 얼마 후 영종하늘도시 공원 공사로 철거되고 말았다 한다. 개인의 여행 기록이 얼마나 의미와 가치가 있는가는 차지하고서라도 사람들의 소중한 흔적이 이어지고 갈무리되는 세상이 되면 좋겠다.

좌우명 헥사곤

고등학교 시절은 인생의 방향을 결정하는 중요한 출발점이다. 물론 그보다 일찍 삶의 방향을 정하고 구체적인 진로를 그리는 사람들도 많겠지만 내 경우에는 국어를 담당하는 박경백 선생님의 수업이 계기였던 것으로 생각된다. 어느 날 수업에서 소설가 최인훈의 『광장』을 자세하게 소개해 주었다. 금기시되었던 남북한의 대립을 과감하게 다룬 소설로 철학도였던 주인공 이명준이 6.25 전쟁을 겪으며 남한과 북한의 사회 체제에 모두 적응하지 못하고 제3국으로 향하던 중 바다에 투신한다는 비극적 내용이었다.

나로서는 처음 접하는 묵직한 주제의 글이었다. 게다가 소설이 발표된 지 12년이 되자, 작가는 누가 뭐라 하지도 않았는데 자신이 먼저 나서 작품을 개작했단다. 당시 내게는 한번 쓴 소설을 개작한다는 것이 잘 이해되지 않았다. 소설 초판으로 출간된 첫 문장은 "바다는 크레파스보다 진한 푸르고 육중한 비늘을 무겁게 뒤채이면서 숨 쉬고 있었다." 후일 개작된 첫 문장은 "바다는, 크레파스보다 진한, 푸르고 육중한 비늘을 무겁게 뒤채면서, 숨을 쉰다."는 것이었다. 쉼표만 몇 개 삽입했는데 훨씬 멋들어졌다는 평가도 도통 이해되지 않았다.

도서실에서 소설을 대출해서 몇 번 반복해서 읽었다. “광장에서 졌을 때 사람은 동굴로 물러가는 것”이라든가 “작은 일을 가지고 속물들과 부딪쳐서는 안 된다. 바다를 건너려는 사람이 웅덩이에 빠져서는 안 된다.” 같은 대목을 노트에 필사하며 탐독했다.

내용 이해도 어렵고, 광장과 밀실의 대비와 그 사이를 방황하는 회색의 경계인에 관한 이야기에 혼란스러워졌다. 어쩌면 이명준의 인생처럼 내 인생도 알 수 없는 곳으로 흘러갈 수도 있겠다는 생각이 들었다. 얼마 지난 뒤 국어 시간에 좌우명을 작문해 제출하라는 숙제가 주어졌다.

소설 『광장』의 주인공이 투신한 바다에서는 물론, 인생이라는 항해를 하려면 무엇보다도 나침반이 중요하다는 생각을 떠올렸다. 좌우명으로 ‘성실’, ‘자신’, ‘여유’, ‘용기’, ‘의지’, ‘인내’를 적어냈다. 제일 먼저 떠올린 단어 ‘성실’은 학교의 교훈이었다. 하지만 교훈을 거꾸로 읽어서 실성이라며 장난치는 몇몇 녀석들이 있었지만, 동기생 여러 명이 별생각 없이 좌우명으로 ‘성실’만을 한 단어 달랑 적어냈다. 선생님으로부터 무성의하다고 얻어맞았다. 성실과 함께 여러 단어를 써낸 나는 매를 피했다. 성실 외 나머지 단어는 내가 좀 부족하거나 가지고 싶은 소양을 추가했다. 그렇게 이른바 육각형 모형을 그려나갔다. 육각형 모형 가운데에는 나침반을 그려넣었다.

2009년부터 우리나라의 소비 트렌드를 전망해 온 『트렌드 코리아 2024』에서는 모든 면에서 완벽한 사람을 의미하는 '육각형 인간'을 신조어로 선정했다. 외모, 학력, 자산, 직업, 집안, 성격. 꼭짓점 6개로 이뤄진 육각형 그래프에서 모든 중심축이 그래프의 끝까지 뻗은 정육각형에 가까울 때, 이를 육각형 인간이라고 정의했다. 세태를 영리하게 반영하여 상업적인 용도로 흥미를 끄는 '육각형 인간'의 여섯 가지 요소와 나의 모형을 비교해 보니 사뭇 괴리가 크다.

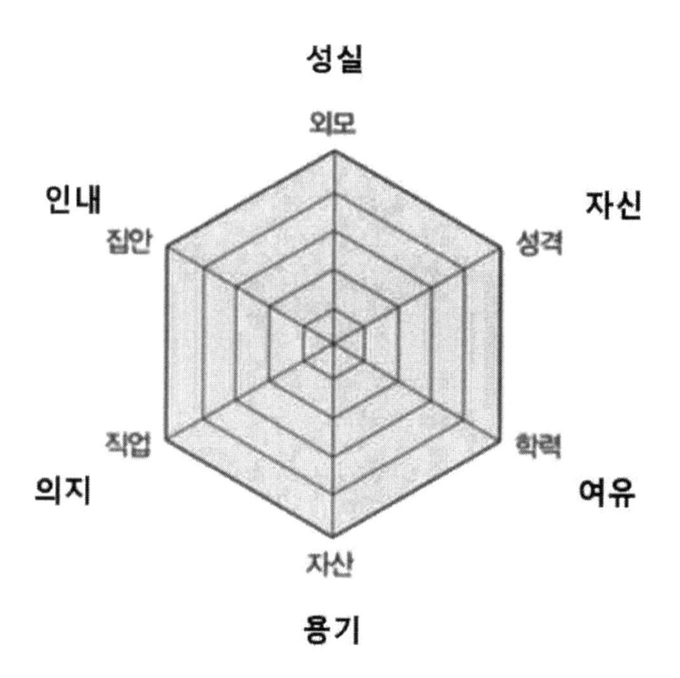

살아오며 판단이나 의사 결정해야만 하는 순간에 가끔 철없고 미숙하기만 했던 그 시절의 좌우명이자 헥사곤 hexagon 모형을 떠올려 본다. 나이 들어도 어려운 사안일수록, 갈피 잡기 어렵기는 매한가지이지만 무언지 모르게 마음이 편해지는 경우도 경험하게 된다.

그 바닷가의 추억

지금으로부터 52년 전, 남윤덕, 윤영복, 이승희, 이재규, 정광모 그리고 나는 "길벗회"를 결성했다.

인고에서는 매일 밤 열 시까지 강제적으로 야간 자율학습을 진행했다. 열외는 야구부, 정구부 정도만 허용되었고 운동부라도 개인 종목인 검도부나 유도부는 방과 후 연습이 끝나면 교실로 돌아와 자율학습에 참석해야만 했다.

피곤하고 공부하기 지겨운 자율학습 쉬는 시간에, 누구의 제안인지는 모르지만 친목회를 하나 만들자는 말이 툭 던져졌다. 자주 몰려다니던 녀석들이 머리를 맞대고 이름 짓기에 골몰했다. 수많은 제안 중에 결정된 것이 "길벗회".

멋진 이름이라 서로 자화자찬하며 시내에 나가 판촉물 가게에서 페넌트를 맞춰 하나씩 나누어 가졌다. 비닐봉지를 씌운 반짝거리는 새틴 소재 헝겊에 모임의 마크를 도안해 넣고 아랫부분에는 금술을 주렁주렁 달았다. 조악하게 만들었지만, 길벗회 페넌트는 오랫동안 내 방 책상 앞에 훈장처럼 걸려있었다.

1977년 진로에서 43도짜리 위스키를 출시하며 "길벗위스키"라 명명하자 이름을 도용했다는 농담을 주고받았던 기억도 난다. 자료를 찾아보니 당시 길벗위스키 출고 가격은 5,456원 12전이었다 한다. 처음 추진한 프로젝트는 여름 방학 중 일주일간 용유도 캠핑.

우선 준비 물품 리스트를 만들어 각자 분담하고, 캠핑 경비를 뽑고, 코펠, 버너, 텐트 등 생존 물품, 그리고 누군가는 오락 물품인 해변의 필수품 야외전축과 기타 등. 캠핑 준비는 일사천리로 진행되었다.

그즈음 동인천에 있던 애관극장에서 "섬머 타임 킬러"라는 영화를 무리지어 가서 봤다. 어린 시절 갱단에 아버지를 잃은 주인공 크리스 미첨이 성장하여 복수하는 과정에서 필연적인 올리비아 핫세와의 러브스토리. 까까머리의 얼굴 까맣던 아이들이 반하기 딱 좋은 스토리와 인물들. 영화 관람 후 동인천역 뒷골목에서 튀김을 나누어 먹으며 소리쳤다.

"자, 이제부터 용유도로 섬머 타임을 킬 하러 떠나자~"

섬에 도착한 날 밤에는 온몸을 흔들어대며 캠프파이어를 즐겼다. 야외

용 전축의 줄인 말인 야전은 상부 커버를 열면 두 개의 스피커로 분리된다. 스피커 선을 본체에 연결하고 본체에는 LP 디스크를 올린다. 플레이 버튼을 누르고 재생 암의 바늘을 레코드판 위에 걸쳐 놓으면, 그 순간부터 해변은 무도장으로 변한다.

그 밤바다에서는 모든 행동들이 부자연스럽지 않았다. 밤은 깊어가고 너울거리는 모닥불에 달뜬 마음들은 간절해진다. 다음날부터 비가 계속 왔다. 빗방울은 A형 군용 텐트 지붕을 끊임없이 때렸다. 비좁아 옹색한 텐트 속에는 빗물이 떨어져 내렸다. 뭔가 모를 기대에서 짜증과 우울과 허전함으로... 누군가 나즈막하게 김민기의 '친구'를 부르기 시작했다. 나는 기타를 집어 들었다. 한사람씩 따라 부르기 시작했다. 조화롭지 못한 노래 소리는 기타 반주의 음율을 넘나들며 계속해서 퍼져나갔다.

"검푸른 바닷가에 비가 내리면/어디가 하늘이고 어디가 물이오?/ 그 깊은 바닷 속에 고요히 잠기면/무엇이 산 것이고 무엇이 죽었소?(중략)/ 눈앞에 보이는 수많은 모습들/그 모두 진정이라 우겨 말하면/어느 누구 하나가 홀로 일어나/아니라고 말 할 사람 누가 있겠오?(하략)"

캠핑을 다녀온 후 나는 한참동안 가슴앓이 했다. 처음 타본 여객선, 처음 가본 해수욕장, 모닥불 타오르던 해변의 밤 풍경, 노랫소리와 흔들거리는 막춤 사위...... 이것저것 기억들이 뒤섞여서 혼란에서 빠져나오기 힘들었다. 바닷가 캠핑의 휴유증은 꽤 오래갔다. 그 여름 바닷가에서는 아무 일도 일어나지 않았다. 영화 같은 복수나 사랑의 갈등 따위는 당연히 일어날 수 없었다. 하지만 나를 비롯한 길벗회원들은 각자 조금씩 성장했으리라. 그리고 또, 고등학교를 졸업하고 1975년 여름 설악산을 함께 종주했다. 비를 맞으며 봉정암을 거쳐 대청봉을 올랐다.

생애 첫 일탈의 경험을 함께했던 길벗들은 그런대로 잘 살아간다. 얼마 전 부평에서 번개 모임을 가졌다. 양계장이 빼곡하던 십정동. 그 일대에 경인선 전철 백운역이 들어서며 과거의 자연과 동네는 갈피 잡을 수 없이 변했다. 이제는 밤이 아니라 낮 시간에 만난다. 반갑게 소주잔을 기울이며 시간을 함께 보냈다. 앞머리가 올라가고 새하얀 머리칼이 듬성듬성 섞겨지고 배가 나온 모습들. 오십이 년이라는 세월을 뛰어넘은 그들의 얼굴에는 까까머리로 희희낙락하던 얼굴들이 천천히 겹쳐졌다.

우리가 배를 타고 함께 바다를 건넜던 용유도에는 영종도와 사이 바다를 대규모로 매립해 인천공항이 들어섰다. 용유도 남쪽 무의도와 실미도까지도 다리를 놓았다. 많은 섬들이 배 대신 자동차로 갈 수 있는 육지가 되었다. 벽해가 상전이 되어버린 격이다. 고교시절 부평 백마장에 살던 내 짝 이재규는 연고가 전혀 없었지만 강화도 덕진진 인근으로 귀향했다. 사업에 크게 실패하고, 건강도 잃었다가 다시 회복한 다음 요사이 검도를 수련한단다. 하인천에 살던 이승희는 청라에, 도화동에 살던 윤영복은 연수에서 잘 산다. 남윤덕은 시흥시 물왕호수 근처에서 닭을 키우며 편안하게 지낸단다. 인고 화학반을 했던 정광모는 지난해 유명을 달리했다.

삶이란 게, 인생이란 게, 지나서 돌아보니 아무것도 아닌가 싶다. 광모의 명복을 빌며 남은 길벗들의 평강을 기원해본다. 오랜 친구는 뭐 볼 것 없이 '그냥 좋은 친구'다.

나침반의 꿈

고교 시절 내 성향은 인문계였다. 하지만 아버지는 육군사관학교나 공과대학 진학을 권유했다. 전쟁을 몸소 겪은 이북 출신이신 아버지의 가치관으로는 아들의 미래를 군인이나 엔지니어가 최선이라 생각하셨던 것 같다.

나로서는 수긍할 수 없는 이유였지만, 만에 하나라도 북한이 도발하면 대를 이어 군인이 되어 나라를 지켜야 한다는 생각이었다. 정말 가능성은 희박하지만 북한이 적화 통일을 하게 되더라도 공대 나온 기술자는 대우받고 살 수 있다는 점에서 아버지의 생각은 당시엔 최선의 선택이었을 것이다.

결국 나는 고등학교 2학년으로 올라가며 이과 반을 선택했다. 아버지는 잠깐 말이 없다가 육사가 싫으면 공대로 가서 ROTC를 하라는 주문을 하셨다. 군인에 대한 호감이 별로 없었지만 병역은 의무적으로 마쳐야

되니 그러마고 했다. 또한 공대를 나오면 지방에 있는 공장에서 일해야 하는 것으로 생각해 역시 흥미가 당기지 않았다.

체력장을 보고 예비고사를 통과한 다음 고3 담임이던 경정현 선생님과 진학 상담을 했다. 원서를 몇 장 건네며 학교와 학과를 정하란다. 아버지께서 군 생활을 하며 건국대학교의 전신인 정치대학 졸업하셨다. 친숙한 느낌이 들어 건국대학교 농공학과에 원서를 넣었다. 농과대학 소속이지만 농업토목과 농업기계를 한꺼번에 배워서 진로가 유망할 것이라는 담임선생님의 전망이 덧붙여졌다.

본고사 전날에는 학교 근처 여관을 잡아 숙박하고 시험장에 들어갔다. 우리 고등학교에서는 사십 여명이 함께 지원했는데 나중에 보니 열 한 명이 합격했다. 농과대학에는 임학과를 지원한 김인웅과 내가 입학했다. 이후 인웅과는 대학 시절 내내 그림자처럼 붙어 다녔다.

동인천에 사는 인웅은 사랑방을 혼자 쓰고 있었다. 한옥 나무 대문을 밀고 들어가면 바로 오른쪽 방이 그의 방이었다. 부모님의 눈치 보지 않고 출입이 자유스러웠다. 이내 그 방은 친구들의 아지트가 되었다. 인천 신포시장 막걸릿집에서 술을 마시고 나면 그의 집으로 직행했다. 통금이 서슬 시퍼렇던 시절이어서 전철이 끊기면 나는 부천에 있는 우리 집으로 돌아올 수 없었다. 통역장교 출신의 인웅 아버님이 보시던 영문판 스크린 잡지가 거의 한 벽을 빽빽하게 채우고 있었다. 눈이 휘둥그레졌다. 우리나라 잡지가 흑백 수준에 머물러 있던 당시에 유명한 외국

여배우들의 컬러 사진은 문화 충격이었다. 그래서인지는 몰라도 인웅이는 영어를 아주 잘했다.

가장 치열한 사고를 하는 젊은 시절. 나는 별 꿈이 없었다. 무엇을 하고 싶다거나 무엇이 되고 싶은 게 정말 하나도 없었다. 내 주변의 친구들을 보아도 대체로 그러했다. 하루하루를 살아내는 일과 꿈과 희망 사이에는 괴리가 있었다. 박정희 독재정권이 유신마저 선포하자 억눌린 분위기에서 위축된 청년들의 무기력이 팽배했다. 학교를 마치고 집으로 돌아오던 어느 날 동대문 시장에서 군용 나침반 한 개를 샀다. 카키색 페인트칠이 귀퉁이마다 조금씩 까져있는 중고 제품이었다. 손바닥 위에 놓고서 골목 건너편을 가늠해 보니 자석 바늘이 민감하게 잘 움직였다. 그러다 이내 정확한 방향을 딱 잡았다. 나침반을 방향타 삼아서, 손에는 잡히지 않지만, 무언가 꿈을 찾아 나가리라 마음먹었다. ROTC 지원서를 작성했던 날이었다.

지남하는 삶

나는, 그저 프레시맨

대학에 입학한 남학생들은 먼저 병역을 고민한다. 진로에 대한 확신이 없으면 입대 시점에 대한 갈등이 시작된다. 우물쭈물하다가 막판에 입대하거나 졸업 후 병역을 치르기도 한다. ROTC로 결정한 나는 학교생활에 충실하기로 마음먹었다. 아랫 글은 대학 1학년 시절을 회고한 최근 기고문으로 이 자리에 붙여둔다.

광화문 교보문고 매대에서 우연히 집어든 소설가 권여선의 『각각의 계절』. 책의 마지막 문장은 "각각의 계절을 나려면 각각의 힘이 들지요." 스마트폰을 열어 그의 최근 인터뷰를 넘겨보았다. "책을 읽고 자신의 과거가 궁금해졌으면 좋겠다. 그래서 문득문득 과거를 떠올리고 기억 속에서 새로운 풍경을 발견하고 그것을 감당하실 수 있기를 바란다." 스무 살, 그때 나는 어떤 풍경 속에 무슨 생각을 하며 살고 있었을까.

1973년 오일쇼크로 물가가 급등했다. 나라 경제와 살림살이가 극도로 어려워졌다. 1975년 2월, 유신헌법 국민투표가 실시되었다. 4월에는 인민혁명당 관련자들의 사형이 집행되었고, 4월 30일 베트남은 수도 사이공이 함락되며 패망했다. 5월에는 대학교의 휴교령을 포함한 대통령 긴급조치 제9호가 발동되었다. 압제 속에 강요된 침묵의 나라가 되었다. 그해 12월 연예계 대마초 파동이 일어났다.

<2023년 12월 e-Book으로 上梓한 『스무살 수집 책 1』에서 전재>

풍경 하나

어느 날 아침 등굣길, 교문은 굳게 잠기고 시커먼 먹으로 쓴 굵은 글씨로 휴교령이 붙어 있었다. 그 시절 대학교에서는 일주일에 두 시간씩 교련 수업을 의무로 하고 있었다. 교련 수업에 몇 번 불참하면 군대 소집 영장이 즉각 나왔다. 교련복을 입고, 모자를 눌러 쓰고, 넓적한 요대를 허리에 두르고 검은색 운동화를 신은 채 발목에는 신발을 감싸 각반을 차야만 했다. 출석을 확인하고 철저한 복장 검사를 마치면 지루하고 고달픈 군사훈련이 반복되었다. 교련을 받지 않으려면 군대에 가야 하는데 교련보다는 군대 쪽이 훨씬 더 버거워 보였다.

두 달쯤 시간을 거슬러 1975년 3월 초로 되돌아가 보니, 큰 기대를 품고 들어간 학교는 그리 미덥지 않았다. 입학식과 신입생환영회를 치르고 학생회관에 있는 서클에 가입하고, 더러 수업도 빼먹고 미팅도 나가니 시간은 술술 흘러갔다. 가끔 줄을 지어 '유신철폐. 독재 타도' 같은 구호를 외치며 교내를 몇 바퀴 도는 무리 속에 섞이기도 했다. 시위대는 그러다가 이내 시들해졌다.

비싼 등록금을 내고 학교를 안 가면 환불은 안 될까 하는 생각을 잠깐 했다. 휴교가 좋은 것은 교련을 받지 않아도 된다는 점이 유일했다. 갑자기 백수가 되었다. 학교에 가지 않아도 되니 신나는 것은 3 일간쯤이고, 그 뒤 생활은 갑자기 무기력해졌다. 아무것도 손에 잡히지 않고 마음만 조급해졌다. 밤에는 주로 술을 마셨다. 길고도 긴 기다림이 시작되었다.

훗날 유신헌법은 철폐되고 인혁당 관계자들은 무죄를 받았다. 하지만 사형 집행된 무고한 사람들은 아무 말도 하지 못한다. 진실과 거짓, 선의와 악행은 일맥상통이 아니라 하나의 몸통을 가진 야누스의 두 얼굴이라는 데에 공감할 수밖에 없다고 생각하자, 내 인생은 회색빛 경계인이 된 것 같았다.

풍경 둘

초등학교 앞 문방구에서 도화지를 몇 장 사 왔다. 과외라고 굵직하게 제목을 쓴 다음 작은 글씨로 '성심껏 지도, 성적향상 보장' 같은 문구를 써 내려갔을 것이다. 사람들의 눈을 피해 어둑해진 다음 집 근처 전봇대에 재빠르게 붙이고 어둠 속으로 숨어들었다. 며칠 지난 뒤 전화 연락이 왔다. 소명여중 이 학년 학생 세 명을 과외 지도하게 되었다.

아이들은 발랄하고 쾌활했다. 선생보다 말이 많았다. 어른들의 세계에 대한 호기심도 많았다. 활발한 한 학생이 살살 미소를 짓더니 "선생님 애인 있어요?"라고 물어왔다. 다른 아이들도 눈에 생기가 돌았다. 인생 최고의 호기심을 보이고 있었다. 하지만 나는 목소리에 최대한 권위를 실어서 쐐기를 박았다. "엉뚱한 소리 하지 말고 공부하자", "에이, 재미없어요. 선생님." 이제야 나는 그때 애인이 있다고 말해주었어야 한다는 후회를 한다.

아이들은 가끔 자기들끼리 편을 가르거나 각자 다투기도 했다. 그리고 서로 한동안 말을 섞지 않는다. 선생이 어설프게 중재하면 더 오래간다. 내가 그때 아이들의 성적은 좀 올려주었는지는 잘 기억나지 않는다.

과외비를 받아서 삼성출판사에서 발간된 20권짜리 한국 문학전집 세트를 일 년 만기 할부로 덜컥 구입했다. 고등학교 동창 녀석이 아르바이트로 전집 세일즈를 하면서 매달 실적이 부족하다고 칭얼댔다. 집으로 도서 할부 신청 카드를 들고 온 이정열은 내게 사인을 받아 갔다. 결국 강매당한 꼴이었다. 처음에 좀 읽다가 책을 베고 자주 낮잠을 잤다. 권당 700여 페이지가 되는 참 품질 좋은 양서였다. 길지 않았던 과외 지도는 이 학기 개강하며 그만두었다.

그때 짧은 과외 경험은 이후 교직과목을 선택하는 계기가 되었다. 수원농업고등학교에서 교생실습을 마치고 2급 정교사 자격을 취득했다. 살아가며 쓸모없으리라 생각했던 교육학 덕분에 후일 기업인들이나 공무원들의 마케팅교육과 CEO 교육을 맡게 되었을 때 그 직무마다 별 애로점 없이 잘 적응할 수 있었다.

풍경 셋

아버지의 지인으로부터 중장비의 조수 자리를 소개받아 수녀원에 도착했다. 산속에 있는 수녀원에서 허가받지 않고 수영장을 만들었다가 단속되어, 흙으로 다시 메꾸는 작업장이다. 운전기사는 터프했고 나는 고분고분할 수밖에 없었다. 작업장이 수녀원인지라 행동을 조심하라는 걸걸한 목소리의 경고가 날아왔다. 아마도 내가 저 멀리 밭일을 나가는 교육생 수녀님들을 아주 잠깐 쳐다보아서였을 것이다.

칠월 삼복중 한낮의 무더위 속에 불도저 운전석은 불타는 용광로 같다. 미처 다 연소하지 못한 경유의 매캐한 연기가 콧속을 자극한다. 온몸은 땀으로 흥건하다. 오래된 중장비는 자주 멈춰 선다. 그러면 손잡이를 잡고 재빨리 뛰어내려야 한다. 승하차 손잡이를 잠깐 쥐면 햇빛과 엔진의 열에 달구어져 장갑 낀 손바닥에 따끔거리는 통증이 전해온다. 냉각수를 보충해 주거나 캐터필러 핀이 빠지면 해머를 들고 핀을 때려 넣어 결합해 주는 등 잡일이 내 임무였다.

점심시간이 되었다. 시원한 식당 구석에서 식판 배식을 받아서 자리에 앉았다. 난생처음 양배추김치를 먹었다. 스테인리스 식판에 그득하던 백김치는 달큰하며 새콤했고 시원한 맛과 사각거리는 식감으로 나를 사로잡았다. 세월이 좀 지난 뒤 전방에서 군 복무를 하면서 배추가 비싸진 탓에 바로 양배추김치가 나왔다. 군인들은 대부분 불만스러워 했지만, 나는 반가운 생각이 들었다. 요즈음도 여름철에는 가끔 시원한 양배추김치가 생각난다. 식사를 마치고 나무 그늘에서 윗도리를 걷어 배를 드러낸 채 한잠 푹 잤다.

그렇게 수영장의 파란 타일은 점차 흙으로 덮이고, 그 위에는 잔디를 드문드문 엉성하게 얹어놓았다. 깊은 산속 옹달샘처럼 새파란 하늘이 비치던 멋진 파란 타일 수영장은 흔적도 남지 않게 되었다. 지금도 그 수영장은 땅속에 그대로 파묻혀 있을까. 가끔 내가 주도하거나 조력했던 일들이 시간이 지나서 어찌 될지를 가늠해 보는 습관이 슬며시 생겨났다.

풍경 넷

여름에는 농촌봉사활동을 다녀오고, 길지 않은 가을학기는 서클의 행사를 기웃거리다가 마쳤다. 얼떨결에 한 해가 지나가고 있었다. 11월 말 겨울 방학이 시작되자 을지로 2가 귀부인다방이라는 곳에서 서클 모임을 시작했다.

두 번째 모임에서인가 당시 젊은이들의 우상인 인기가수 3명이 구속되었다는 소식이 TV 화면에서 흘러나왔다. 이장희, 윤형주, 신중현, 김추자, 정훈희 등 대부분 구속되거나 출연 정지 처분을 받았다. 가끔 훈방된 이도 있었다. 우리 윗동네 활터 근처에 살던 이종용 형도 잘 보이지 않았다. "낙엽 지는 그 숲속에 파란 바닷가에 떨리는 손 잡아주던 너 ~"로 시작되는 "너"를 불러 그해 최고 가수였던 그는 후일 미국에서 목사가 되었다. 이후 2차 대마초 파동 때에는 조용필까지도 남산 중정에 끌려갔다. 구타를 당하는 등 곤욕을 치른 뒤에 방송매체는 물론 업소에서도 슬며시 사라졌다.

그즈음 종로나 명동 길거리를 걷다 보면 리어카 노점상은 담뱃갑을 열어서 '가치담배'라 부르던 낱개담배를 팔았다. 일부는 담배 속을 파내고 대마초를 약간 채워 넣은 담배를 돈을 좀 더 받고 팔곤 했다. 별 죄의식 없이 흡연하던 대마초가 어느 날 갑자기 큰 죄의 표적이 된 것이었다.

하지만 우리는 대마초 단속 소식보다 '꽁초 커피'에 관심이 더 컸다. 당시 일부 다방에서는 커피의 색깔을 진하게 하고 양을 늘리기 위해 커피 30잔쯤이 나오는 노란 주전자에 원두커피를 정량보다 적게 넣고 담뱃가루를 섞어 색깔을 진하게 만들거나 달걀 껍데기와 소금을 넣어 커피 맛을 냈다. 얼마 뒤 식품위생법에 단속된 업소 명단 속에는 우리가 그토록 즐겨 마셨던 귀부인 다방도 확실하게 포함되어 있었다.

혹독하던 추위가 이어지던 그 겨울, 내게 희망찬 미래는 보이지 않았다. 스무 살에게는 좁은 틈 하나 어디 트인 부분이 없었다. 돌아보니 나의 스무 살쯤 기억은 대체로 흐릿하다 그리고 가물가물하다. 그해 봄에서 겨울 사이에, 아무도 없는 활터의 사대에 홀로 서서, 마음을 다해 시위를 당겼었다. 표적은 안개 낀 사이로 흐릿한데, 화살은 가물가물하게 날아갔다. 화살은 풀숲 어딘가 떨어졌겠지만, 나는 그 화살이 떨어진 곳에 다가갈 수 없었고 또 화살을 찾으려고 노력하지도 않았다. 나의 이번 생에는 떨어진 화살은커녕 빈 활도 다시 찾을 수 없다는 것을 이제야 선명하게 안다.

소설가 김연수의 『스무 살』을 읽었다. “생에서 단 한 번 가까워졌다가 멀어지는 별들처럼 스무 살, 제일 가까워졌을 때로부터 다들 지금은 너무나 멀리 떨어져 있다. 이따금 먼 곳에 있는 그들의 안부가 궁금하기도 하다. (중략) 부디 잘 살기를 바란다. 모두.” 그 시절 같은 학과와 서클 친구, 동창, 여중생들, 불도저 기사, 수녀님... 그러한 모든 사람들이 그립다. 그들이 나를 온전하게 기억하지 못하더라도.

권 작가의 인터뷰를 좀 더 읽어 내려갔다. “살면서 보니, 어느 시절을 살아내게 해준 힘이 다음 시절을 살아낼 힘으로 자연스레 연결되지 않는 경우가 많더라고요. 다음 시절을 나려면 그전에 키웠던 힘을 줄이거나 심지어 없애거나 다른 힘으로 전환해야 한다는 걸 느꼈습니다."

사는 동안, 매 순간이 변화와 전환인 시대에 나는 어느 별, 어느 계절에서 와서 또 어디로 가고 있는 것일까? 그리고 또 어떤 힘을 키우고 갈무리해서 내일을 채비해야 할까. 다시 얼마간 세월이 지난 후 멈춰 서서, 지금 이 자리와 함께 얼굴 보던 사람들을 문득 그리워할까.

MRA와 탈춤반

이 학년으로 올라가면서 학점을 웬만하게 만들어놓고, 경영학과 부전공과 중등학교 2급 정교사 자격증이 나오는 교육학을 저울질했다. 두 가지 모두 탐이 났다. 병행한다면 졸업을 한 학기 미루어야 한단다. 그렇나번 ROTC 임관을 미루어야 하니, 둘 중 하나를 선택할 수밖에 없었다. 인사 조직론과 교육학개론을 각각 수강해 본 다음, 교직 과목을 이수해 나갔다.

이 학년 말까지는 도덕재무장학생회라는 서클에서 활동했다. 도덕재무장(MRA/IC 'Moral Re-Armament Initiatives Change')은 1938년 6월 런던에서 프랭크 부크맨(F.Buchman)박사가 주창했다. 인류문명을 물질의 힘보다 정신적·도덕적 힘 또는 양심적·인격적인 힘으로 발전시키려는 운동이다.

우리나라에는 1965년에 첫 행사를 시작으로 중, 고, 대학생에 초점을 두어 활동해 왔다. '도덕재무장'(Moral Re-Armament)을 통해 개인이

스스로 변화하고, 더 나아가 가정, 학교, 사회, 국가 그리고 세계를 변화시켜 좀 더 나은 세상, 좀 더 평화롭고 행복한 세계로 변화시키는데 '주도적 역할'(Initiatives of Change)을 하고 있다.

2001년 스위스에서 국제연맹이 결성되어 현재 세계 60개국이 참여하고 있다. 매년 '국제센터'에 모여 세계대회를 개최한다. MRA 참여로 학교 내외에서 다양한 교육과 봉사활동, Sing-Out 활동 등을 전개했고 방학마다 10 여일간씩 농촌 봉사 활동을 진행했다. 영종도 중산2리 등 여러 지역에서 아이들에게 학습 지도, 마을 공동 작업을 지원 같은 농촌에 필요한 여러 가지 봉사활동에 참여했다.

MRA의 Sing-Out은 젊은이들이 가져야 하는 가치와 도덕을 정립하기 위한 계몽적 성격의 노랫말로 무대 공연을 자주 했다. 노래는 가벼운

전신 율동을 결합해서 밴드 음악 반주로 신나는 분위기를 전달했다. "아름다운 대지", "우리의 길", "달려라 우주 끝까지", "이순신 장군", "한국이여 이 길로", "Up with people" 같은 곡들은 지금도 입안에 노랫말이 읊조려진다.

MRA에서 많은 사람들과 다양한 교류를 했다. 내가 자라온 모습과는 판이한 다양한 삶을 가진 사람들과 만났다. 또한 MRA 한국본부와 다른 학교 서클과 활동 폭을 넓혀나갔다. 사회에 소외된 이웃들이나 어렵게 사는 사람들을 직접 대면 접촉하는 교류로 시야가 많이 넓어졌다.

동인천에서 통학하는 김인웅과는 이 년간 그림자처럼 붙어 다녔다. 그는 『문학사상』을 좋아했지만 나는 『창작과 비평』을 정기 구독했다. 그즈음 문학사상은 창간된 지 삼 년쯤 지난 신흥 잡지였다. 30대의 젊은 문학평론가 이어령 선생이 창간을 주도했다. 신인 작가를 과감하게 발굴해 큰 인기를 얻고 있었다. 창간호부터 표지에 구본웅 화백이 그린 이상의 초상화를 게재해 잡지로는 보기 드물게 재판을 찍어냈다.

인웅이 문학사상에 연재되는 이병주 작가의 『소설·알렉산드리아』에 빠져들었을 때 나도 박완서 작가의 『도시의 흉년』을 열심히 읽었다. 잡지를 한 권 사서, 서로 좋아하는 소설을 먼저 보려고 티격태격했다. 연재되는 소설의 다음 내용이 달마다 무척 궁금했다. 잡지가 발행되어 서점에 깔리는 며칠 동안을 참지 못했다. 가끔 잡지사를 직접 방문하곤 했다. 『문학사상』 사무실은 현재 서울 지하철 3호선 경복궁역 근처 금융감독원 연수원 위치쯤인데, 현재 목동으로 이전한 진명여고 체육관과 붙어있던 허름한 건물이었다.

어느 달엔가는 학교 수업이 끝나고 잡지사를 방문해 문을 열고 들어갔다. 이어령 선생이 혼자 계셨다. 좀 쑥스럽게 책값을 치르려니 마침 여직원이 들어와서 잡지를 받아 온 적도 있다. 우연한 것은 현재 영인문학관 관장으로 계신 이 선생님의 부인인 강인숙 교수로부터 대학 국어 수업을 들었다. 2000년 영인문학관에서 "문인 화가 부채 글 그림 전"을 관람했던 적이 있는데 갑자기 대학 시절 생각이 떠올라 혼자 미소를 지었었다.

내가 애독하던 『도시의 흉년』은 우리나라가 급성장하는 70년대 중반을 사실적으로 그려냈다. 속물적인 중산층을 비판하고, 남아선호사상, 신분과 돈을 결탁한 결혼 등 당시 세태를 리얼하게 묘사했다. 여자 주인공 수연이 사귀던, 탈춤 추는 구주현이 시위 주동자로 구속이 되자 수연은 그를 대신하여 야학 교사를 자청한다.

박완서 작가가 써 내려간 소설 속 탈춤 장면에 매료된 나는 3학년부터 그해에 새로 창립한 농과대학 민속연구회에 합류하여 탈춤을 연습하고 민속 연구회장을 맡기도 했다. 강령탈춤, 봉산탈춤, 송파산대놀이 등 인간문화재 선생님들과 전수생으로부터 연희 지도를 받은 다음 학교 축제의 정규 프로그램으로 공연했다. 공연 전 두 달여간 매일 저녁 늦게 연습을 계속했다.

축제기간 중 저녁이 되어 어둠이 깔리기 시작하면 꽹과리, 장구, 북, 징 등 민속 악기인 사물을 연주하며, 깃발을 앞세우고 모든 출연진이 열을 지어 길놀이를 벌인다. 학교 잔디밭에 횃불을 켜놓고 12 과정의 탈판을 벌인다. 탈을 쓰고 수많은 관객들의 집중을 받으며 추는 탈춤은 매력적이다. 해학과 풍자의 대사, 이를테면 정부를 슬쩍 빗대어 비판하거나 체제를 조롱하는 의미의 대사를 슬쩍 날리면 "얼쑤~, 얼싸~, 아! 좋다~" 같은 추임새와 환호에 밤이 깊어간다. 칠십 년대 후반 대학에서 탈춤이 널리 사랑받았던 이유는 군사 독재와 유신의 억압에 저항하는 배출구로 작동했기 때문이다.

▶ 사자탈 속에서 뒤꼬리 역을 하는 필자

탈판이 시작되면 나는 '취발이', '팔목 중', '사자 뒤꼬리' 배역을 연희했다. '취발이'는 '노승'이나 '말뚝이'와 함께 마당극의 주연급이다. "세상을 무른 메주 밟듯이 주유천하하는..." 같은 라는 대사가 마음에 쏙 들었다. 연희자는 마치 자신이 취발이가 된 듯 펄펄 뛰어다니는 활동적인 춤사위를 선보인다. 관객들은 취발이와 똑같이 생긴 아기 취발이를 출산하는 소무를 보고 환호성을 내지르며 재미있어했다. 취발이가 아기 취발이 인형을 앉혀놓고 한문과 언문을 가르치면 관객들은 대사를 큰 소리로 따라 하며 즐거워했다. 탈춤의 매력 가운데 하나는 관객들과 교감이다. 일방통행이 아니라 공감대의 접점에서 터져 나오는 엑스터시가 경영조직론 책의 리더십과 똑 닮아있다.

▶ 공연에 앞서 민속연구회 회장으로 고사문을 읽는 필자

'팔목 중'은 스님 여덟 명이 노래와 춤을 함께 선보이는지라 단합된 팀워크가 필요했다. 배역을 나누며 아무도 지원하지 않았던 '사자 뒤꼬리'도 내 차례가 되었다. 두터운 털로 덮인 사자탈을 쓰고 허리를 구부린 채, 가랑이 사이로 한 손을 집어넣어 땀을 뻘뻘 흘리며 사자 꼬리를 쉬지 않고 돌려야하는 역할은 고역이었지만 신명이 넘쳐났다. 탈판의 피

날레는 마지막 과정이 끝나 탈을 벗어 던진 탈꾼과 구경꾼들이 서로 분간 없이 어울려 춤을 추며 돌아가는 난장이다. 그 당시에는 흔하지 않던 외국인들은 어색한 몸짓일 지라도 꼭 끼어들었다. 활활 타오르는 횃불과 번득이는 땀에 젖은 사람들, 사람들…… 혼연일체의 카타르시스를 발산하고 횃불은 사위어갔다. 관객들이 모두 돌아가고 불도 꺼져 텅 비어버린 탈판을 바라보면 남은 것은 허탈감…… '강령탈춤'에서 시작해서 '송파산대놀이'를 거쳐 '봉산탈춤', '수영오광대'까지 우리나라 전역의 대표적인 탈춤을 계속 전수받고 연습해 공연에 올렸다.

우리 학교 탈춤 공연 마당에도 성동경찰서의 모 형사가 늘 감시하듯 오곤 해서 학생들도 안면을 터놓고 인사하며 지냈다. 소설 『도시의 흉년』에서도 데모 주동자 구주현을 검거하려고 그의 집 앞에서 담당 형사가 늘 대기한다. 잠복하던 형사가 시장기를 이기려고 가로등 아래서 붉디붉은 홍시를 먹어치우는 묘사가 오래도록 내 머릿속에 선명하다. 열심히 준비했던 탈춤 공연을 마치면 심한 상실감을 느꼈다. 그럴 때는 신경림 시인의 『農舞』라는 시를 읽었다. 1975년에 창작과 비평사에서 신경림 시인의 『農舞』가 발간되자 곧 한 권 구입했다. 내 돈 주고 산 생애 첫 시집이었다. 그 시집은 "창비시선" 시리즈의 첫 권이었다.

"징이 울린다 막이 내렸다/오동나무에 전등이 매어달린 가설무대/구경꾼이 돌아가고 난 텅 빈 운동장/우리는 분이 얼룩진 얼굴로/학교 앞 소줏집에 몰려 술을 마신다/답답하고 고달프게 사는 것이 원통하다/꽹과리를 앞장세워 장거리로 나서면/따라붙어 악을 쓰는 쪼무래기들뿐/처녀

애들은 기름집 담벼락에 붙어 서서/철없이 킬킬대는구나/보름달은 밝아 어떤 녀석은/꺽정이처럼 울부짖고 또 어떤 녀석은/서림이처럼 해해대지만 이까짓/산구석에 처박혀 발버둥친들 무엇하랴/비료값도 안 나오는 농사 따위야/아예 여편네에게나 맡겨 두고/쇠전을 거쳐 도수장 앞에 와 돌 때/우리는 점점 신명이 난다/한 다리를 들고 날라리를 불거나/고갯짓을 하고 어깨를 흔들거나"

시의 앞머리 몇 행이 머리와 가슴으로 동시에 들어와 박혔다. 얼마 전 신문을 보니 50년 만에 창작과 비평사의 "창비 시선"이 출간 권수 500호를 기록하며 기념시선집이 발간되었다. 안희연, 황인찬 시인이 엮은 『이건 다만 사랑의 습관』과 『한 사람의 노래가 온 거리에 노래를』. 두 권 한 세트를 알라딘에서 사서 읽기 시작했다. 시집이 500권 발간되는 49년 동안 나도 지금처럼 변해버렸다.

이년쯤을 탈춤 춤사위와 노래를 배우며 판소리, 사물놀이 같은 우리 민속에 푹 빠져 지냈다. 장사훈 교수의 『국악 개론』과 이두현 교수의 논문, 연희가 전승되는 현장 보고서들을 탐독하며 민속학을 열심히 공부했다. 그러면서 군 복무 후 진로로, 당시 신설된 안동대학교 민속학과 대학원 진학을 깊게 고민하기도 했다.

탈춤의 인연은 연극으로 이어졌다. 군에 입대하기 직전 극작가 허규 선생이 창단하신 '극단 민예'의 워크숍에 참가했다. 청계천 8가에 있는 허름한 극단 사무실에서 민속극의 기본을 익히고 현대극에 접목하는 실험을 진행했다. 후일 MBC 마당놀이의 주역으로 성장한 김성녀, 윤문식, 김종엽, 김영철 등 여러 배우가 두 달여를 함께 연습했다. 마당극의 기본인 춤사위, 판소리, 농악기 장단 등 민속 연희의 기초를 습득했다. 우리나라 놀이마당의 둥근 '마당극' 구조를 서구식 '프로시니엄아치'라는 액자형 무대로 전환하는 실험적 시도였다.

나는 광주 보병학교에 입대가 예정되어 있었기 때문에 정동에 있던 세실극장에서 손진책 연출로 공연한 연극 『가실이』의 조명을 담당했다. 암전된 깜깜한 극장 조명실에서 무대와 배우 그리고 관객들의 검은 뒷모습을 바라보았다. 밝은 세상과는 단절된 또 하나의 새로운 세계가 벽시계 초침처럼 째각이며 작동하고 있다는 생각을 했다. 연극의 세계와는 너무 거리가 먼 현실의 세계로 돌아오는 데 시간이 그리 걸리지 않았다. 한 달여간의 공연을 뒤로하고 광주 보병학교에 입교했다.

4학년 1학기 중 교생실습은 수원농림고등학교.

교생 실습을 나가서는 농공학과 전공을 살려 농업기계와 농업토목을 가르쳤다. 아이들과는 죽이 잘 맞았다. 깔깔거리며 잘 웃어대는 명랑하고 건강한 농고 아이들은 교생을 친근하게 따랐다.

농업용 트랙터를 직접 운전해, 수원 시내 로터리마다 국화 화분을 배치했다가 학교 온실로 다시 가져와 관리하는 일을 반복했다. 봄부터 키운 국화는 그해 가을 인천에서 열리는 전국체육대회 납품용으로 원예과 학생들이 정성을 다해 키웠다. 딸기가 나오는 철이 되자 수원 푸른지대 딸기밭으로 아이들을 데리고 야유회를 다녀왔다. '딸기 잘 사주는 선생님'의 별명도 내 몫이었다.

봄철 가뭄이 심해지자, 주변 농가 지원이 펼쳐졌다. 오전에만 수업을 하고 말라 붙어버린 광교 수원지로 학생들을 인솔했다. 농고생들을 동원해서 하천 바닥을 파고 흙탕물이 배어 나오면 양수기를 돌려 주변 논에 물을 관개했다. 한 달간 교생실습이 재미있게 지나고 있었다. 교사도 즐거움과 보람이 있겠다고 생각했다.

교장선생님은 제대 후에 선생님을 시켜 줄 테니 꼭 다시 학교로 돌아오라고 했다. 교생을 마치는 날, 부담임을 맡았던 반 아이들은 교문을 나와 떠나는 나를 에워싸고 졸졸 따라왔다. 부천으로 오는 시외버스 정류장까지 한참을 걸어와 버스 차창 밖에서 손을 흔들어 배웅했다. 가슴 한쪽이 저릿해졌다. 아이들은 이내 차창에서 점이 되어 사라졌다.

총 들고 포 메고

1979년 2월 말일, 용산역에서 입영열차에 올라탔다. 광주 송정리역에 내리니 국방색 군용 버스들이 새파란 소위들을 기다리고 있었다. 차에 실려 보병학교에 입소했다. 이천 여명이 넘게 입소한 보병학교 초등군사반 OBC의 병영은 8인실로 조성되어 있었다. 이태 전까지만 해도 대부분 일반병사의 막사와 같은 구조로 침상이 길게 연결되어 있었다.

전년도에 육사 3학년이 된 박지만 생도가 광주 보병학교 초등군사반에 입교하게 되자 부랴부랴 이 천 명이 넘는 소위들이 사용하는 내무반을, 큰돈을 들여 개축했다는 이야기가 들려왔다. 군대란, 아니 우리나라란 이렇게 우스꽝스러운가라는 생각에 한숨부터 나왔다. 하지만 역설적으로 우리는 박지만 생도 때문에 8인실 내무반에서 품위 있는, 마치 미군 같은 내무생활을 할 수 있었다.

사개월간의 훈련이 시작되었다. 우선 첫 한 달간은 외출과 외박 없이 엄격하게 군기를 잡았다. 한 달이 가까워지자, 이 주간의 유격훈련이 이어졌다. 우리나라에서 악명 높은 3대 유격장 중 한 곳인 동복 유격장으로 입소했다. 그곳의 슬로건은 “안 되면 되게 하라”. PT체조와 함께 참호 격투, 11미터에서 거꾸로 내려오는 레펠과 스피드 로프 등 유격 구조물을 얼차려를 받으며 돌았다. 외줄과 세 줄을 타고, 활차를 잡고 이백여 미터를 활강해서 두 손을 놓아 강물 속으로 낙하했다. 수영이 능숙하지 못한 동기생들은 얼음물을 잔뜩 마시고 허우적거리길 반복하다가 눈이 풀려서야 대나무 장대로 건져졌다. 강기슭에는 조그만 돌비석에 훈련 중 사망한 선배들의 이름이 빛바랜 채 적혀있었다. 삼월의 강물은 빙하 바다 같아서 살점이 떨어져 나가는 듯 차가웠다. 유격 코스를 마치자 도피 및 탈출이라는 다소 낭만적인 제목의 훈련이 시작되었다.

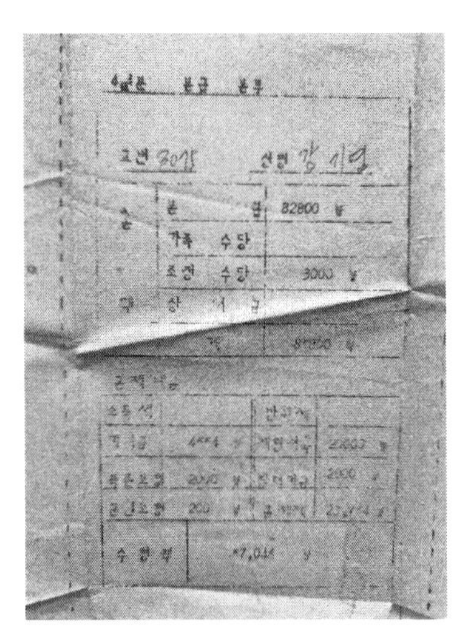
봉급 봉투
82800
가족 수당
수당 3000

▶ 4월 봉급 봉투-수령액 57,046원

어스름한 저녁 강가에 훈련생들이 집합했다. 훈련 조를 편성하고 반합에 국과 밥을 배식하고 건빵을 몇 봉지 지급했다. 그러더니 채 숟갈도 제대로 뜨기 전에 공포탄 소리가 "탕 탕 탕" 들려왔다. 먹던 밥을 팽개치고, 군장을 수습해서, 허우적거리며 강을 건너 일주일간 지리산 일원을 도주하는 훈련이었다. 북한군으로 변장한 조교들에게 잡혀서 이른바 고문도 당했다. 돈을 모아서 북한군으로 분장하고 북한 말을 쓰는 조교들이 지키는 가게에 잠입했다. 허기를 때울 빵을 구하는 등 병정놀이 같은 훈련이 지속되었다. 잡히면 몇 푼돈을 받고 눈감아주는 조교들도 있었고 어떤 조교 팀은 좀 악랄하게 뺑뺑이를 돌리기도 했다.

훈련 조마다 상황과 경험이 판이했다. 인생은 어차피 복불복이려니. 사람의 운수는 제각각 차이가 난다. 100킬로미터 행군을 하는 동안 오히려 마음은 편했다. 어느 날은 야외에서 배식을 받아 식사를 시작했다. 반합에 밥과 된장국과 반찬을 털어 넣고, 국에 말은 밥을 입속으로 우걱우걱 떠 넣었다. 그때 무자비한 소나기가 힘차게 내리기 시작했다. 비를 피할 수 있는 곳이 아무데도 없었다. 들판 가운데에서 반합을 감싸안고 아무리 밥을 떠먹어도 국의 양은 계속 줄지 않았다. 훈련이 끝나는 주말 드디어 첫 외출이 주어졌다. 광주 시내에서 내무반 동기를 여덟 명이 댓 병 소주를 함께 마셨다. 여덟 명 모두 인사불성이 되었다.

6월 말이 되어 보병학교를 수료하자 최전방 철책선 부대인 28사단으로 배치되었다. 사단사령부에서 부사단장에게 전입을 신고하고, 80연대 본부에서 연대장에게 신고하고, 3대대 본부에서 대대장에게 신고하고, 9중대에 도착해서 신고를 마치니 화기 소대장으로 보임되었다. 화기 소대장은 M60 기관총 4정과 60밀리 박격포 2문을, 3개 분대 편제로 운용한다. 한 손에는 기관총을 들고 또 한 어깨에는 박격포를 메고 뛰는 역할이다. 부중대장의 역할도 함께 주어졌다.

중앙대학교 체육과 출신의 천병관 소위가 9중대 3소대장으로 함께 배치됐다. 천 소위와는 호흡이 잘 맞았다. 전직 태권도 선수출신의 경주 사나이. 장교 숙소인 BOQ의 방을 2년간 같이 쓰고 바늘과 실패처럼 전방 군 생활을 함께 헤쳐 나갔다. 3소대와 화기 소대는 톰과 제리처럼 투덕거리며 지냈다. 소대장끼리 친하니 대부분 소대원끼리도 친근해졌다. 막걸리를 걸고 축구와 족구, 격구를 경쟁했다. 우리보다 병력이 1개 분대가 더 많은 데다, 체육과 출신의 소대장을 보유한 3소대를 당해내기가 어려웠다. 자주 돈을 빼앗겼다.

천 중위는 제대 후 고향 경주로 돌아가 모교인 문화고등학교에서 정년으로 퇴임했다. 후일 그에게서 태권도를 지도받아 전국체전에 출전했던 제자가 나의 직장 후배가 되어 함께 근무하는 인연이 되기도 했다. 하지만 그 친구는 나와 악연으로 다시 만나게 된다.

첫 월급을 타서 집으로 보냈다. 두 번째 월급을 타서부터 타자기 할부대금을 나누어 냈다. 부대 배치 후 첫 서울 외출이 가능하자, 종로3가에 있던 공병우 타자기 보급소를 방문해서 한글 타자기 한 대를 구입했다. 한글타자기 보급 실무 책임을 맡고 있던 송현 씨와 긴 시간 대화를 나누고 친해졌다. 타자기는 2벌식, 3벌식, 4벌식 등 다양한 기종이 있다. 과거 우리나라 정부는 한자 사용을 금지하고 모든 공문서에 한글만 쓰도록 하는 '한글 전용에 관한 법률'을 제정했다.

그런데 정부 부처마다 타자기 자판이 달라 표준이 시급했다. 문교부와 상공부는 회피하고 힘없는 과학기술처의 담당 공무원이 기계식 타자기 표준 자판을 정했다. 비전문가인 그는 타자 빈도를 무시한 채 자음은 왼쪽, 모음은 오른쪽으로 몰아넣어 왼손을 많이 쓰는 엉터리 자판을 완성했다. 지금 우리가 사용하는 컴퓨터 자판의 모습이다. 이제라도 공병우 자판을 채택하고 어문정책을 바로 세워야만 한다. 아울러 북한과 한

글 타자기, 컴퓨터 자판 통일도 중요하면서도 시급한 문제다.

안과의사인 공병우 박사는 본업 외에도 사진에 조예가 깊었다. 한글 타자기를 발명하고 한글 기계화 운동에 일생을 바쳤다. 군에 입대하기 전부터 세벌식 타자기의 논리성, 과학성, 속도에 매료되었다. 부대 내 독신 장교 숙소인 BOQ에서 타자기를 치다가 사단 보안대의 확인을 받은 일도 있었다. 내 주변을 탐문하던 보안 부대원은 타자기에 감겨있던 『월간 조선』 잡지기사 타이핑 내용을 확인하고는 어색하게 돌아갔다. 당연하게도 별 일이 없었다. 전방에서 근무하는 군인이 타자기를 개인 소지할 수 없다는 규정은 아무 데에도 없었으니까.

유격장으로 회군

전곡에 위치한 대대에서 지내는 군 생활은 생동감이 있었다. 전투부대 훈련이 이어지는 몇 달을 보낸 뒤 감악산 유격장 공사 소대장으로 배치되었다. 농업토목을 전공해서 구조물과 건축, 토목 공사에 유리하다는 대대장의 판단에서였다. 10월이 되자 전방의 날씨가 무척 추워졌다. 지상에 설치한 텐트는 야간 취침 시 외풍이 심해서 땅을 깊게 파서 텐트를 땅 속으로 묻어 보온을 유지했다. 땅강아지가 되었다는 말이 저절로 나왔다. 밤에는 그렇게 이를 부딪치며 잠을 자고, 낮에는 콘크리트로 된 유격 구조물을 만들어 나갔다. '대빵'이라 불리는 철판 위에 자갈, 모래 시멘트를 붓고 물에 비빈 다음, 질통에 지고 산 중턱에 올라 구조물에 붓는다. 그 다음 나무망치로 거푸집을 사정없이 두들겨 기포를 없애는 작업을 병사들과 함께 했다. 그냥 '노가다 십장'이었다.

유격장 구조물의 대부분이 마무리되어 가던 10월 26일 오후, 다음 달

초에는 공사가 마무리되어 본대로 복귀할 수 있다는 보고를 올렸다. 그 날 밤 갑자기 비상이 걸렸다. 공사 장비는 그대로 둔 채 전투를 위한 군장을 꾸려 이동하라는 명령이 하달되었다. 실탄도 지급했다. 부대로 복귀할 것이라는 예상이 빗나가고 동두천 방향으로 난 민간인 통제되는 군사 도로를 타고 남진 행군을 시작했다. 이튿날 오후 라디오에서는 대통령이 유고라는 소식이 들리기 시작했다. 거의 동시에 현 위치에 대기하라는 명령이 다시 하달되었다. 그러더니 또 하루를 길가에서 판초 우의를 덮고 덜덜 떨면서 밤을 보낸 뒤 유격장으로 복귀했다.

10.26의 밤은 역사에 온전하게 기록되었는지 모르겠다. 남쪽으로 행군하다가 대기했던 유격장 공사 부대의 행적도, 전방 병력을 빼서 안보 공백을 초래했던 쿠데타 세력의 시간도, 역사는 공정하고 정확하게 평가하는지 알 수 없다. 청문회를 통해 지켜보았던 정치적 논쟁은 의미없이 끝나버리고, 죄과에 상응하게 단죄 받지 않은 사람들은 잘 살다가 이승을 떠났다. 그들의 자손들은 진정 행복할까.

사족을 붙이면 우리 28사단에도 삼청교육대를 운영했다. 예비연대의 건재 순으로 마지막 대대가 신병교육대인데, 그 부대가 삼청교육대 임무를 수행했다. 신교대에도 동기들이 근무했지만 삼청교육대의 상황은 보안에 부쳐졌었다. 당시에는 군대 내에서 『전우신문』 이외에는 볼 수 있는 매체가 없었고, 국군 방송 이외에는 들을 수 있는 소식이 없었다. 『전우신문』 1면에 목봉 체조를 하는 삼청교육대원 사진을 보고, 나는 참으로 정의롭고 공정하게, 군이 사회를 정화해 나가는 것이라 믿고 지냈다. 제대해서 TV를 통해 5공 청문회를 보기 전까지는.

영국의 외교관이자 역사학자였던 E.H.카는 역사철학서 『역사란 무엇인가』에서, 역사의 정의 중 하나로 "역사는 과거와 현재의 끊임없는 대화"라고 언급한다. 2024년 이승만 대통령을 다룬 김덕영 감독의 다큐멘터리 『건국 전쟁』에 대한 관심과 논쟁을 보면 더욱 그러하다.

이듬해 연대가 최전방 철책선을 담당하도록 부대 교체가 이루어졌다. 전방에 xxx GP로 통과하는 철문을 사이에 두고 철책선 ooo 미터가 내가 지켜야할 경계구역이었다. 후미져 취약한 통문에는 경계견을 배속받았다. 소대원 중 부산 출신 신모 일병을 선발해서 의정부에 있는 군견학교로 보냈다. 그가 훈련을 수료하고 귀대 길에 4살짜리 경계견 달티와 함께 돌아왔다. 달티와 신 일병을 후미진 사각 지점 초소에 배치했다. 녀석만을 위한 전용훈련장도 후방 계곡에 마련해 주었다. 달티는 영리했다. 군견학교에는 절대 금지하지만, 가끔 꿩도 잡아오고 두더지도 파내 와서 내 앞에 물고와 늘어놓고 자랑했다.

배구코트의 반쯤 되는 손바닥만 한 연병장에서 족구도 열중했다. 이겨도 상은 당연히 없다. 하지만 지는 팀은 맹물을 한 바가지씩 마시게 되는 벌을 받는다. 두 세판 연속 져버리면 아랫배가 불행해진다. 내가 장난을 잘 걸던 분대장이 탄약통에 새우깡을 담아 왔다. "소대장님 이거 맛 좋은데요." "박 하사, 이리 좀 줘 봐라" 하나를 집어서 입에 넣었다. 짙은 갈색의 새우깡은 바삭거리는 식감이 나쁘지 않았지만 무척 느끼했다. 뭔가 이상했다. 알고 보니 말고기로 만든 군견 사료였다. 전투화 발로 박 하사 엉덩이를 강하게 차 버렸다.

얼마 전 외신을 보니 재미있는 사진 한 장이 눈에 들어왔다. 이탈리아 로마 문화부 건물 앞에서 만난 원격 조종 로봇 개 '사에타'와 복제 경찰견 '올림피아'가 서로 노려보는 사진이었다. 폭탄 테러위협이 가해지자 청사에서 일하던 직원들을 대피시킨 뒤 폭발물 탐지와 제거 작업을 위해 로봇 개와 복제 개가 동원되었다. 세상이 많이 바뀌었다. 그런데 달티는 어떻게 되었을까?

전방 철책선을 담당하는 GOP 부대에는 일주일에 딱 한 번씩 PX 차량이 순회한다. 흙먼지를 피우며 대대본부 OP 뒤편 산모퉁이를 돌아서, 군가를 우렁차게 울리며 천천히 나타났다. 병사들은 PX 트럭을 환호했다. 소대 취사장 앞에 멈춰선 트럭에 다닥다닥 붙어선 소대원들은 아낌없이 주머니를 비워내서 '까까'와 바꿨다. PX 트럭이 판매를 마치고 떠나는 순간 또 다시 아쉬워했다.

독립 취사를 위해 철책에 투입하기 전 역시 소대원 중 한 명을 선발해서 취사병 교육을 보냈다. 취사병으로 복무하다가 전역한 그가 어느 날 책 한 권이 들어있는 소포를 보내왔다. 책을 열어보니 속의 종이를 파내서 공간을 만든 다음, 누룩을 한 덩어리 넣어 보냈다. 군견 훈련장 뒤쪽에 항아리를 묻고 막걸리를 담갔다. 도둑질처럼 몰래 전방에서 막걸리를 마셔봤다. 술맛이 아닌 꿀맛이었다. 신들의 음료 넥타르보다도 맛났다. 중대장과 소대장들을 초청해서 함께 마셨다. 늘 반성하며 산다.

중위로 진급한 뒤 말년에는 부대가 동두천 인근 어유지리로 이동했다. 철책선을 빠져나오니 민간인들과 어울려 사는 동네의 공기가 다르다. 진로에 대한 고민이 깊어졌다. 전역 장교에 대한 취업 추천과 면접이 본격적으로 진행되기 시작했다. 전역하기 전 몇 군데를 골라 입사 지원서를 제출했다. 효성그룹의 건설 부문, 동화약품 영업 부문에 합격 통지를 받았다.

전역 즈음 대대장은 고려대학교 ROTC 4기 출신인 이영대 중령이었다.

마지막 휴가를 나오려는데 호출을 받았다. 마침 대대장도 서울로 출타하는데 지프차 뒷자리에 탑승하란다. 어유지리에 있는 부대를 출발해서 미아리까지 오는 동안 계속해서 장기 복무 신청을 권유받았다. 진땀을 빼며 거절했더니 육군항공대로 추천서를 써 줄 테니 생각해 보라는 요구였다. 후일 그는 소장으로 진급하여 28사단 사단장을 역임했으나 지병으로 유명을 달리하셨다. 젊은 시절에는 그때 항공병과로 전과해서 헬기 또는 고정익을 했었으면 어땠을까? 라는 생각도 했었다.

전역을 앞두고 마지막 휴가를 나와서 자동차 운전면허를 취득했다. 전방 부대 보병 소대장으로 근무하다보니 행군과 구보를 하도 많이 해서 사회에서는 걷거나 뛰지 않고 항상 차를 타고 다니겠다는 농담을 했다. 전역 직전 술집에 맡겨 놓았던 ROTC 반지도 다시 찾아왔다. 중도 해지하지 않고 성실하게 냈던 재형저축 통장도 잘 챙겼다. 전역신고를 위하여 마지막으로 방문한 사단사령부에서는 하루 종일 대기 조치가 떨어졌다. 대간첩 작전 중 헬기가 추락하는 사고로 전역신고가 미루어졌다. 오후 늦게, 2년 6개월간의 군 생활이 마무리되었다.

출발점에서는 병역 의무를 다한다는 소극적 자세였지만, 군 생활은 사회생활의 기초를 다잡아준 아주 좋은 기회였다. 소대와 중대급 부대 지휘를 통해서 리더십과 주인의식을 함양하는 한편, 다양한 구성원들과 공감하며 소통해 가는 과정과 인내를 배운 소중한 기회였다. 투자한 시간과 노력, 육체적이나 정신적인 어려움 보다 훨씬 더 성장한 시간이었다.

두 도시 이야기

6월 말 전역 후에는 직장 취업을 뒤로 미루었다. 대학원 진학을 염두에 두고 가을 전형을 통해 다음 해 3월 입학을 준비하기 시작했다. 당시 희망 1순위는 안동대 대학원 민속학과였고 다음의 선택지로 고려대 경영대학원을 염두에 두고 저울질했다. 무더운 여름이 지나고 찬바람이 불어오자 진로에 대한 고민이 다시 시작되었다. 대학원보다 우선 취업을 해야만 한다는 생각이 슬슬 머리를 들었다. 진학 준비를 위해 다니던 도서관에서 영어책을 펴 들었다. 찰스 디킨스의 『두 도시 이야기』 첫머리를 읽어 내려갔다.

"It was the best of times, it was the worst of times, it was the age of wisdom, it was the age of foolishness, it was the epoch of belief, it was the epoch of incredulity, it was the season of Light, it was the season of Darkness, it was the spring of hope, it was the winter of despair, we had everything before us, we had nothing before us, we were all going direct to Heaven, we were all going direct the other way."

"최고의 시절이자 최악의 시절, 지혜의 시대이자 어리석음의 시대였고, 믿음의 세기이자 의심의 세기였으며, 빛의 계절이자 어둠의 계절이었다. 희망의 봄이면서 곧 절망의 겨울이었다. 우리 앞에는 무엇이든 있었지만, 한편으로 아무것도 없었다. 우리는 모두 천국을 향해가고 있으면서도 곧장 지옥으로 가고 있었다."

소설 첫머리부터 선택의 고민이 피부로 느껴졌다. 작가의 적확한 표현에 속수무책으로 압도당했다. 소설의 배경인 두 도시, 런던과 파리의 상반된 모습과 모순이 그대로 전해져왔다. 어떤 결정을 하더라도 반대쪽 결정에 미련이 남는다. 누구라도 결정적인 순간에는 극단적으로 대척점에 있는 선택지를 고르는 고뇌를 하며 살 수밖에 없다. 나만의 고민은 아닐 것이다. 첫대목을 되풀이해 읽으며 깊은 생각에 빠져들었다.

그사이 가을이 되었다. 망설임이 거듭되었지만, 진로를 결정하는 일은 오히려 싱겁게 결정되었다. 집에서 구독하던 한국일보에서 신문사의 사원을 모집하는 사고를 보았다. 구경거리가 없던 어린 시절, 집 앞 신작로로 뛰어나가 구경했던 마라톤 생각이 났다.

그때 내 눈앞을 쏜살같이 달려갔던 이가 아베베 비킬라 Abebe Bikila(1932~1973)라는 마라톤 선수였다. '맨발의 마라토너'라는 별명을 가진 그는 에티오피아군 소속 UN군으로 6.25 전쟁에 참전했다. 아프리카 최초의 올림픽 금메달리스트로 마라톤 최초 2연패 달성자다. 1960년 로마와 1964년 도쿄에서 우승하고, 1966년 년 10월 동아일보 주최로 한국에서 열린 "9.28 서울수복기념 국제마라톤대회"에 출전했다. 그에게 대회에 참가한 이유를 물어보니, "한국전쟁에 참전했을 때 한국인에 대한 좋은 기억이 있다."라고 답했고 가볍게 우승을 거머쥐었다.

마라톤 코스는 인천상륙작전 당시 유엔군이 상륙한 인천역 광장에서 출발해 경인가도를 따라 중앙청에 도착하는 코스였다. 명색이 국제 대회지만 참가한 선수가 15명에 불과했고 외국 선수는 아베베와 일본 선수 2명, 미국 선수 1명뿐이었단다.

▶경인가도를 달리는 아베베 선수(좌측)와 그 뒤를 따르는 일본 선수 2명[출처:중앙포토]

인천에서 출발한 선수들은 제물포, 주안, 부평을 거쳐 소사로 진입했다. 소사역을 지나쳐 우리 집 앞으로 다가오고 있었다. 우리 동네 사람들은 모두 대단한 구경거리를 만난 듯 경인가도로 나와서 선수들을 기다렸다. 가슴에는 번호표 17번을 단 까맣고 깡마른 아베베 선수가 달려왔다. 나와 친구들은 아베베가 지나가자 그 뒤를 따라 펄쩍펄쩍 뛰어갔다. 하지만 그는 오류동 방향으로 쏜살같이 사라져 버렸다. 그가 사라지고 친구들과 내가 멈춰 서서 헐떡거리며 숨을 고를 즈음, 또다시 한 무리 선수들이 광풍처럼 지나쳐 달려갔다. 우리들은 더 이상 쫓아갈 힘을 잃었다. 그게 끝이었다.

왁자지껄하던 동네 사람들이 하나둘 가게나 집으로 돌아갔다. 길가에는 구겨진 신문의 호외가 굴러 다녔다. 흑백으로 인쇄된 호외를 집어 들었다. 흙이 묻고 밟혀서 구겨진 종이에는 아베베의 사진이 대문짝만 했다.

그때 나는 누구인지 몰라도 이런 신문을 만드는 사람은 재미있을 거라는 생각을 했었다. 당시에는 세계 최고의 스포츠 스타를 한국에서 본다는 것은 상당히 드물고 어려운 일이었다. 하지만 신문을 만들 수 있다면 축구나 권투는 물론 마라톤도 자주 볼 수 있을 것이라는 엉성한 생각을 했다. 그렇게 진로가 결정되었다.

돌아보면 내게 일어났던 수많은 이야기는 양극단 중간 어디쯤에서 의도치 않았던 일들이 대부분이었다. 디킨스가 쓴 소설 속 런던과 파리는 나에게는 서울과 부천 중간 어디쯤이었다. 2016년에 전인환 감독이 만든 "무현, 두 도시 이야기"라는 다큐멘터리 영화가 개봉되었다. 국회의원에 떨어질 줄 알면서도 도전했던 2000년 부산의 노무현, 2016년 여수의 전 시사 만화가였던 백무현의 도전기가 교차되며 이어진다. 이제 두 사람은 세상에 없다. 나는 영화 제작에 소액을 후원했다. 개봉 후 초대권을 받아 극장엘 갔더니 엔딩 크레딧에 내 이름이 적혀 올라갔다. 살면서 만나게 되는 결단의 순간, 이성적이며 치밀한 선택이 아쉬운 적이 많았다.

첫 직장 일간스포츠

한국일보에 입사원서를 제출하고 필기시험과 면접을 치른 다음 12월 초 일간스포츠 광고국으로 발령받아 출근하기 시작했다. 첫날 명함을 받아 들었다. 뿌듯했다. 수습의 교육이 시작되었다. 부서별 체험교육이 진행되었다. 짧은 기사 한 꼭지를 쓰는 과제를 받았다. 작성된 원고를 들고 2층 제작국 정판부로 내려갔다. 도서관 서가처럼 긴 수납공간에 납으로 만든 활자들이 빼곡했다. 작성한 기사에 해당하는 활자를 뽑아서 채자통에 차곡차곡 담았다. 조판을 해서 빨간 사인펜으로 교정을 보았다. 시간이 좀 남아 내 명함도 만들어 보았다. 신문 잉크 냄새마저도 향긋한 느낌이 들었다. 천연색판을 인쇄하기 위한 컬러 분판 제작도 실습하고 컷과 광고 동판 부식 과정도 지켜보았다. 구로공단에 있던 컬러판 인쇄공장인 한주물산도 다녀왔다.

신문사의 하루하루는 새로움의 연속이었다. 숨 가쁘게 상황이 변하지만 마감에 시달리고 하염없이 대기하는 불규칙한 일들의 반복이었다. 수습을 마치고 광고 기획, 마케팅 업무를 습득해 나갔다. 세상에서 일어나는 다양한 사건 사고와 우리가 살아가는 현상을 바라보는 시야가 넓어졌다. 당시 우리 사무실에는 만화가 고우영 작가, 후일 국회의원을 지낸 김홍신 작가 등이 자주 출입해 어울렸다.

젊음과 객기가 충만하던 첫 직장 시절 어느 날. 수습 중인 동기생 몇이 모여 동료의 고충을 들어주는 자리를 길게 하다가 모두 취했다. 먼저 만취한 동료를 택시를 잡아 집에 보내고 혼자 남은 것 같은데 기억이 사라져 버렸다. 한기를 느꼈다. 눈을 비비고 보니 승용차 안 조수석이었다. 신문사 뒷골목에서 술을 마시고 비몽사몽 상태로 주차해 두었던 차에 가서 잠이 들었던 모양이었다. 발목이 허전했다. 차 안에는 구두가 없었다.

낭패였다. 별별 생각이 다 들기 시작했다. 아침은 희끄무레하게 열리고 있었다. 대책 없이 이대로 시간만 흘려보낼 수는 없었다. 새벽에 영업하는 '청진동 해장국집'에라도 가서 도움을 청할 생각이었다. 운전석 문을 열고 양발 바람으로 내렸다. 살금살금 몇 걸음 걷다가 뒤를 돌아보았다. 아뿔싸, 운전석 밖 차 문 바로 아래에 구두 한 켤레가 얌전하게 놓여 있었다. 세상 사는 중 참 반가운 신발이었다.

가족이 경주 여행을 다녀온 적이 있다. 아들 경근이 개구쟁이 노릇을 하기 시작했고 딸 채린은 아장거리며 앙증맞게 걷기 시작했을 때였다. 볼 살이 포동포동한 아들은 참 귀여웠다. 또한 딸은 나를 얼마나 매혹시켰던지 늘 벨트에 채워 배에 매달고 다녔다. 경주박물관에서 에밀레 종을 보고 가벼운 점심도 했다. 다음 목적지로 한참 갔는데 비아 씨가 딸의 신발이 없다고 했다. 잘 찾아보라고 했더니 역시 고개를 젓는다.

서둘러 차를 돌려 박물관 주차장으로 향했다. 차 안은 에어컨 냉기로 시원했지만, 불볕더위가 숨 막히던 여름 한 낮이었다. 너른 주차장 입구를 들어서니 방금 전 떠나왔던 그곳에, 울긋불긋한 꽃신 한 켤레가 온전하게 우리 가족을 기다리고 있었다. 한여름 작열하는 태양빛을 흠뻑 받아 달구어진 그 꽃신은 나긋나긋 따뜻했다.

일간스포츠에서 세상만사의 출발점을 배웠다. 목적과 방향을 가지고 사는 사람들의 대열에 동참하여, 노력하고 열심히 일하는 태도를 배웠다. 군부의 무력으로 언론 통폐합이 되어 서울경제신문 편집국장을 지내시다가 우리 국에서 근무하시던 최덕모 부국장 같은 선배들이 후배를 실력으로 압도하되 아껴주는 너그러움도 느꼈다.

최병호, 유동진 같은 동기들과의 우정도 그러했다. 사무실에는 야간고등학교를 다니는 여학생이 근무했는데 그에게도 어려움 속에서 노력하는 성실성을 느꼈다. 늘 조용히 디자인하던 직원은 어느 날 중앙미술전에서 수상하고, 축하를 받으며 우리 방을 나가 전업 화가의 길로 떠났다.

▶농협대학 축구장에서 체육대회. 우측이 사진 작가 정범태 당시 일간스포츠 사진부장

사촌 형님과 고교 동창이자 내게는 고등학교 선배가 되는 최관이 차장, 우리 팀의 김성헌 부장, 옆 팀에 김홍태 부장님들은 후일 한국일보사 자매지나 타 매체의 사장을 역임하고 은퇴했다. 각별하게 나를 아껴주셨던 분들이다.

김홍신 작가와 고향 친구이자 ROTC 선배인 김주형 차장은 퇴사 후 사진관을 성공적으로 경영하시다 먼저 돌아가셨다. 대구지역본부에 근무하던 시절 성주군청에 김홍신 작가를 초청해서 특강을 기획했다. 김 작가는 김 차장과의 어릴 적 인연과 우정, 그리고 일간스포츠에 연재했던 '인간시장'의 비하인드 스토리를 내게 다시 천천히 이야기했다.

어디서나 사람이었다. 사람은 사람 속에서 살아가야 했다. 사람에서 시작해 사람으로 끝난다. 신문사 밖에도 기획과 마케팅, 에이전시, 홍보, 판촉, 선전파트를 다니며 사람들을 만나고 다채로운 세상 구경을 했다. 무지갯빛 세상이었다가 갑자기 무채색으로도 바뀌는 세상. 태풍 하나를 만나기 전까지.

성가병원 OS 602 병실

“쿵” 하는 소음과 충격에 정신 잠깐 혼미해졌다. 음주 운전 사고를 냈다. 밤늦게까지 술을 마시다가 운전대를 잡았던 모양이다. 음주 운전이나 불법 주정차 같은 교통문화가 요즈음 수준으로 정립되지 않았던 시절이었다. 새벽 1시 넘어 역곡역 앞 사거리에서 신호 대기 중인 택시를 추돌했다. 졸음운전이었다. 취중에 차에서 내려 보니 택시의 트렁크는 푹 파여 있고, 내 차의 본네트도 직각으로 꺾여있었다. 멈춘 차에서는 부동액이 줄줄 흘러나오고 붉은 방향 지시등 한쪽이 급하게 깜빡이고 있었다.

경찰이 도착해서 사고 현장을 수습하고 차를 견인해 떠났다. 경찰은 순찰차 뒷좌석에 나를 태우더니 집 앞에 내려주고 떠났다. 사고를 보험으로 처리하고 차를 정비소에 맡겼다. 우연하게도 인하대 기계과를 나온 인고 동기생 배상철이 근무하고 있었다. 상철은 좋은 부품을 써서, 잘하는 기술자에게 작업을 시켰다며 전체 수리를 해서 새 차같이 만들었다.

사고 난 날 밤은 심리적으로 불안했지만 취중에 숙면을 취했다. 한 달여를 지났을까. 왼쪽 고관절에 가벼운 통증을 느끼기 시작했다. 부천에 개원한 지 얼마 안 된 성가병원에 입원했다. 병명은 고관절 부위에 '류머티즘성 양 관절염'으로 판단했다. 통증이 극심하여 스테로이드를 비롯한 약물을 주로 썼다. 상태를 보아가며 투약 양을 늘리거나 줄이는 치료가, 삼 개월 가량 길고도 길게 이어졌다.

어머니는 간호를 위해 고생을 많이 하셨다. 아버지는 지팡이를 짚고 오셔서 한마디 안부만 묻고 가만히 앉아 계시다 돌아가시곤 했다. 그즈음 아버지도 건강이 좋지 않아 힘이 많이 부치신 상태였다. 통증 감소를 위해 근육이완제를 투여하면 낮에는 비몽사몽 늘어져서 잠을 자다가 새벽 통증에 잠이 깬다. 한쪽 발에는 고정용으로 추를 매달은 케이블을 매어놓았다. 다리와 관절이 저리고 무딘 통증으로 떨어져 나가는듯했다. 환자용 침대 아래 어머니가 쪼그리고 모로 누워 잠들어 계신다. 부끄럽고 죄송했다. 창문을 통해 멀리 보이는 깜깜한 밤하늘 아래 부천 시내에는, 빨간 교회 십자가 불빛만 수없이 보였다. 숫자를 하나씩 천천히 세어 나갔다. 눈물이 주르르 흘러내렸다.

상태가 호전되어 삼 개월 만에 퇴원했다. 약 복용량을 조절하며 며칠 지나자 치료 부위에 통증이 다시 느껴졌다. 재입원했다. 혈액 중 염증 수치가 다시 급하게 올라왔다. 암담했다. 두 번째 입원은 큰 상실감으로 다가왔다. 얼굴이 새까만 정형외과 과장 정태일 박사는 활발했다. 하지만 환자들에게는 소탈하게 대했다. 내게도 스테로이드 복용량을 세심하게 조절하고 외국의 약을 찾아서 고려하는 과정을 설명해 주기도 했다. 회복이 많이 되어 저녁 산책 중에 만나면 야구공으로 캐치볼을 하다가 내게도 손을 번쩍 들어 보이며 야구를 함께하자는 농담을 건넸다. 후일 그가 사당동에 개업한 병원은 1986년 서진룸살롱 집단 살인사건으로 매스컴의 주목을 받았다. 강남 한복판에서 패싸움을 벌인 목포 출신 조폭들이 회칼로 난자당한 시신 4구를 그의 병원에 방치해 놓고 도주해 버린 사건으로 국민을 경악시켰다.

두 번째 입원 치료도 고관절 부위에 약물을 투여하고 물리치료를 병행했다. 부수적 증세인 손가락 부종을 빼기 위하여, 파라핀을 녹인 뜨거운 액체에 손을 지속해서 담가, 열을 가하는 물리치료를 병행했다. 땀을 뚝뚝 흘리며 양손이 파라핀으로 만든 두터운 장갑을 낀 모양으로 될 때까지 오랜 시간 파라핀 히팅 풀을 껴안고 재활에 집중했다. 최금숙 물리치료사님의 쿨하지만 따뜻한 마음 씀씀이를 잊지 못한다. 몇 년이 지난 뒤 경근이를 성가병원에서 출산하고 인사차 들렸었다. 두 손을 그러쥐고 정말 반갑다는 말에 마음이 한참 따뜻했었다.

병실에 처음 입원했을 때는 주변 아무것도 보이지 않았다. 며칠 지나니 옆 침대 환자들이 차츰 눈에 들어오기 시작했다. 환자의 보호자나 문병 온 사람들의 말소리가 들려오기 시작하자 신문을 다시 읽을 수 있었다. 입원 얼마 전 한국일보 12층 강당에서 콘서트를 했던 가수 신형원에게 직접 받은 카세트테이프가 있었다. 그녀의 노래를 카세트 플레이어로 계속해서 테이프가 늘어지도록 들었다. 병실에는 무릎 관절에 물이 차서 들어온 인천대학생 김준복, 오토바이 사고로 발목이 상실된 김영하 씨, 전기공사를 하다가 감전으로 한쪽 허벅지 아래를 상실한 고등학교 후배 김수겸, 화물차 조수로 따라다니다 무릎 아래에 의족을 착용해야 하는 나이 어린 김형균, 발목에 의족을 해야 하는 김성균 씨...... 입원과 퇴원이 교대되며 환자들은 들고 나지만 함께 병실에서 생활한 입원 환자들은 각별하게 친밀해진다. 특히 장기 입원자의 보호자끼리도 가족 관계와 생활이 파악된다. 면회자인 가족과 친구, 직장 사람들까지도 서로 안면을 트게 된다.

두 번째 입원 후 증세가 좋아지자, 여유가 좀 생겼다. 병원 구내식당 환자식에 식상한 병실 환자와 가족들이 병원 구석으로 자장면을 배달해서 함께 먹었다. 입원하던 길에 병원 주차장에 차를 세워 두었다. 병실 창문으로 저 멀리 담장 아래 세워둔 회색 포니 승용차가 조그맣게 보였다. 병원 직원과 환자들은 차의 주인을 궁금해 했다. 나는 모른 척했으나, 밤에 가끔 나가서 시동을 걸어주고 들어왔다.

비 오던 어느 오후, 차를 내려 보다가 환자들에게 가을 소풍 프로젝트를 제안했다. 병실 환자 모두 손뼉을 치며 동참했다. 주말에 차를 한 대 더 빌려서 인천 연안부두 횟집으로 가을 소풍을 갔다. 평소 친근했던 6층 스테이션에 간호사 두 분도 외근을 빙자해 "환자들의 행진"에 동행해 주었다. 성가수녀회가 운영하는 성가병원은 미아리에서 부천으로 이전해 수녀님들이 수시로 병실을 순회하며 환자를 격려했다. 원내에 있던 소성당도 병원 생활의 어려움을 다소 덜어준 고마운 장소였다. 간병을 하던 어머니는 힘이 들면 가끔 말없이 소성당으로 내려가셨다. 그리고 길고도 간절한 기도를 드리셨다.

일 년여간의 병원 생활에서 '세상만사 내 뜻대로 되지 않는다'와 '한 걸음 물러서서 살기도 해야 한다'는 교훈을 배웠다. 또한 종합병원의 진료

과목 영문 약자를 판별할 수 있는, 별로 쓸모없어 보이는 능력을 얻었다. 생소하던 NS, CS 또는 TS, GS, OS, ENT, PS 정도를 구별할 수 있다. 우리말로 옮기면 신경외과, 흉부외과, 일반외과, 정형외과, 이비인후과, 성형외과이다. 류머티즘성 관절염은 증상이 다양하다. 한방에서는 주마담(走馬痰), 담이 말처럼 온몸을 분주하게 돌아다닌다고 한다. 그러니 몸이 군데군데 욱신거리며 여기저기 물색없이 아픈 병이라는 해석이다.

퇴원 후에는 서울역 앞에 있던 현대 침구학원에서 사 개월 동안 '동의보감', '방약합편', '황제내경'을 배우고 침, 뜸, 부항, 자석 부착법을 실습했다. 몸에 대한 상식이 필요하다는 절박한 생각에서였다. 성가병원에서 퇴원하는 날 담당 과장인 정 박사는 내게 말했다. 자신은 평생 안경을 쓰고 살아야 하는데, 당신은 안경 대신 질환을 친구로 삼고, 잘 다스리며 살아가면 별문제 없다고. 인생 초반부 좌절과 고통 속에서도 생은 지속되어야만 한다는 자각을 했다. 고통과 함께 하는 병실에도 사람들의 정이 있고 나아가 그곳에도 하나의 우주가 있더라는 생각이다.

두껍아 두껍아 새 집 다오

한국일보에서 퇴사했다. 부서에서는 좀 편한 내근으로 발령한다고 했으나 회복의 시간이 좀 더 필요했다. 사표를 제출하고 집으로 돌아와 동네 목욕탕에 월 회원권을 끊었다. 우울하고 답답했다. 또한 막막했다. 안개 속에서 표류하는 배 구석에 방치된 느낌이었다. 아침에 사우나로 몸을 순환시키고 오전에는 병원 물리치료를 받고 오후에는 한의원에서 침을 맞았다. 기분도 풀리고 몸도 차츰 원기를 회복하기 시작했다.

활동이 자유스러워질 즈음에 아버지는 집을 신축하기로 하셨다. 설계를 마치고 시청에서 인허가 절차가 거의 끝나 가는데 아버지 건강이 나빠지셨다. 얼떨결에 내가 집짓기 현장을 주도하게 되었다. 골목 안쪽에 있는 살림집을 사서 이사한 다음, 살고 있던 집을 허물어냈다. 자기 집을 허물어도 "가옥멸실신고"라는 행정절차를 마쳐야 했다.

건축을 시작하자 누군가 건축주를 찾았다. 내가 나서니, 목장갑을 빼서 손에 매단 갈고리를 슬쩍 보여주며 막걸리 값을 요구했다. 언성이 피차 높아지자, 싸이드 카를 탄 경찰이 오더니 상황을 정리해 주었다. 사내가 돌아가고 난 뒤에도 경찰은 미적거리며 공사장 주변을 어슬렁거렸다. 신문사 명함을 꺼내 건넸다. 명함을 받아 새까만 안경을 슬쩍 들고 들여다본 경찰은 계면쩍어하며, 오토바이에 올라 시동 소리를 한참이나 신경질적으로 부릉부릉 내더니 훌쩍 사라졌다.

아버지가 안면으로 의뢰해서 설계와 감리를 맡은 진화건축은 그리 성실한 편은 아니었다. 시공까지 턴키로 맡겨서 건축주가 돈만 딱딱 지급했으면 그렇지는 않았을 것이다. 하지만 우리 집은 현장 소장으로 도목수만 계약하고 철근, 목공, 조적, 콘크리트의 '4대마'를 직영한 현장이어서 그랬을 것이다. 답답해진 나는 건축공학과를 나와 공병 장교로 근무하던 고등학교와 대학 서클 후배 정진옥에게 건축 시공 책들을 잔뜩 빌려다가 틈틈이 읽으며 공사를 진행했다.

오토바이를 타고 다니던 현장 소장 격인 황 목수는 성실했다. 그를 보면서 삼국지에 나오는 장비 같다고 생각했는데, 내심은 결이 부드러운 거구의 기술자였다. 가끔 시흥 미산리 산속에 있는 옻닭집으로 그를 살짝 초대해, 옻닭과 막걸리를 대접하며 노고를 위로했다. 돌아가는 길에는 그의 가족을 위하여 백숙 두 마리씩을 포장해 건넸다. 콘크리트 반입이 늦어지면 레미콘회사까지 직접 가서 식사하는 기사를 채근해서 레미콘 트럭을 인솔해 왔다. 전기설비 업체를 찾아내 일을 직접 맡겼다. 청계천에서 조명을 일괄 사입해 내 차로 운반해 와서 설치하고, 3층 살림집 내부 인테리어와 주방 설비를 시공했다. 지하 1층, 지상 3층 건물이 지어졌다. 3층으로 이사 들어왔다. 부천세무서가 가까워, 2층은 건축 도중에 세무사사무소로 임대되었다. 이어 1층과 지하의 점포도 곧 임대되었다.

그렇게 지었던 집도 얼마 뒤에는 사라진다. “소사본 1-1구역 재개발정

비사업 조합"이 결성되고 수년이 지나 얼마 전, 부천시로부터 관리처분 계획이 고시되었다. 대학 시절 전공필수 과목으로 '철근콘크리트공학'이라는 수업을 들은 적이 있다. 교수는 철근 콘크리트의 수명이 70년쯤이라 했다. 유럽이나 미국은 100년 이상을 가지만, 우리나라는 부실시공에 날림공사로 30년이라고 했다. 집의 수명이나 사람의 일생이나 살아보니 모두 그렇게 길지만은 않다. 좋아하던 마음으로 보던 집도, 물건도 게다가 사랑하던 사람들조차도...

희망을 심는 조경회사

어린 시절 함께 자랐던 임춘택이 연락했다. 그의 집은 우리 집 점포에 세 들어 정육점을 오래해서 가족끼리도 친밀한 사이였다. 조경업에 경험이 있던 그와 함께 머리를 맞대고 조경사업을 구상했다. 건강이 회복되면 복직을 계획했으나 궤도가 일부 수정되었다.

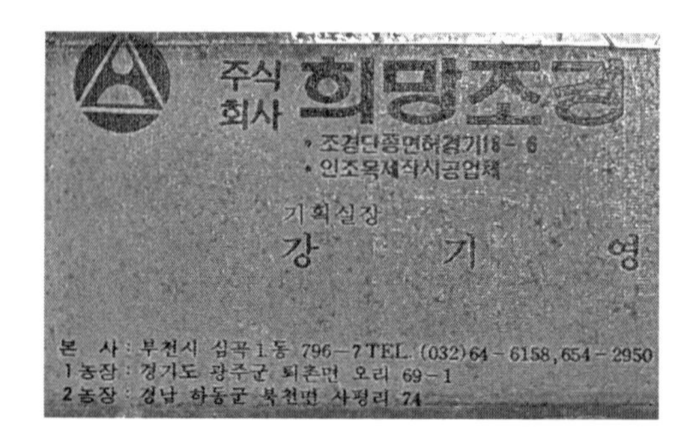

회사명은 주식회사 희망조경. 조경 식재 면허를 대여하고 시설 면허도 공유할 업체와 협업을 했다. 조경기사도 한 명 채용했다. 신구전문대를 나온 여직원으로 내근을 주로 하되 현장 설명회 참가와 입찰 실무를 담당하게 했다. 춘택이 영업과 큰 공사장을 맡고, 내가 총괄 관리와 일부

겹치는 현장의 시공을 담당했다. 창업 후 먼저 주로 부천시청에서 발주되는 조경 식재공사를 공략했다. 나무 중개상들과 전국의 나무 농장을 돌아다녔다. 조경 기사 책을 사서 공부하고, 트레싱 페이퍼에 조경 제도를 혼자 연습했다. 한국종합조경공사에서 1977년에 발간한 『조경용소재도감』을 구해 나무의 사진을 보고 벼락치기로 외웠다. 임학과를 나왔으면 좋았겠다는 후회도 들었다.

점차 공사 수주가 되기 시작했다. 현장 인원을 늘리고 부천시 원종동과 경기도 오포에 나무를 임시로 심어놓을 가식장을 마련했다. 살림이 늘어나는 듯하자 마가 끼기 시작했다. 면허 대여료를 인상해달라는 무리한 요구가 들어왔다. 어쩔 수 없이 양보했다. 나무를 싣고 오던 차량이 사고를 내기도 했다. 인부들은 술을 마시면 다음 날 새벽에 차로 픽업하기로 약속한 장소에 나타나지 않는다. 일손이 다급한 우리는 술을 먹고 뻗어서 자는 인부의 집을 찾아가 끌고 나오기도 비일비재였다. 상반기 정산을 마치고 보니 그런대로 수익성이 나쁘지 않았다.

여름에 휴가를 떠났다. 휴가 명칭은 거창하게도 '조경 소재용 수목 조사' 봉고차를 끌고 춘택이네 가족 네 명과 나와 사귀던 비아 씨가 함께 했다. 부천을 출발해 부산까지 전국의 나무를 관찰하며 내려갔다. 부산에서 배에 차를 싣고 제주로 건너갔다. 도착하자마자 어느 해변 모래밭에 차를 멈추고 식사를 했다. 갑자기 비가 와서 보니 차바퀴가 모래에 가라앉고 있었다. 허겁지겁 시동을 거니 바퀴가 헛돌고 있었다. 백방으로 빠져나오려다 지칠 때쯤, 지나가던 딸딸이(동력경운기)가 로프를 걸어 차를 모래밭에서 도로까지 끌어내주었다. 사례를 하려자 뒤도 돌아 보지 않고 갔다.

비아씨와 춘택의 아내는 비를 흠뻑 맞은 일행의 젖은 옷가지를 챙겨서 빨래방으로 갔다. 세탁을 마치고 건조 후에 보니 나의 하늘색 삼각팬티와 춘택의 아들의 팬티가 유사하여 서로 먼저 집어 들고 챙기려 해서 민망했다고 깔깔댔다. 그해 여름 여행길에서 새로 만났던 나무는 호랑가시나무, 남천 등 당시에는 서울에서는 흔히 보지 못하던 수종이다. 이제는 지구의 온난화로 대구 사과가 경기도나 강원도로 재배지가 북상한다. 남쪽에서만 자라던 수종인 남천도 서울에서도 흔히 볼 수 있는 나무가 된 것이 시간의 흐름을 느끼게 한다.

가을이 되자 공사가 바빠졌다. 1986년 아시안게임이 준비되며 미사리 조정경기장에 큰 규모로 식재 공사가 발주되었다. 부천에서 김포공항으로 나가는 수주로 공사도 수주했다. 수주 변영로를 기념하는 거리에는 목백합 나무를 심었다.

초겨울에 역곡 전철역 인근 가로공원 식재공사를 수주했다. 경인선 전철의 철도와 접도구역이어서 석축 공사가 함께 포함되어 있었다. 석축에 적합한 포천석이 설계에 포함되어 포천의 돌 기술자들을 불렀다. 날이 추워지고 있었다. 공사 지연발주가 원인이지만 부천시청의 완공 독촉이 심했다. 인부들을 설득해서 야간작업을 강행했다. 모든 차량을 동원해서 일렬로 주차한 뒤 헤드라이트를 한꺼번에 켜서 공사장을 밝혔다. 시청 공무원들도 나와 지켜보고 있었다. 한쪽에서는 석축을 쌓아 올리며 그 뒤로는 나무를 심어나갔다. 자정이 가까워서야 공사가 끝났다. 부천시청 녹지계 공사 발주 담당은 조경공사 완공원이 현장에서 오케이

되었다는 농담을 하고 떠났다. 떠나는 그에게 택시비를 후하게 찔러 주었다. 포천 석축공들에게도 임금을 정산하고 배웅했다. 싸늘하면서도 개운한 밤이었다. 돌아오는 길에 몇몇 인부들과 막걸리를 한 잔 더하고 잠들었다.

아침에 사무실로 나가니 전화가 왔다. 사고가 났다고 한다. 부천 대성병원으로 달려갔다. 석축공들이 어제 공사가 끝나고 포천집으로 돌아간다고 했는데 그게 아니었다. 우리와 헤어져 술을 더하고 그동안 공사를 하며 묵었던 여관에서 하루 더 자고 집으로 돌아가기로 했단다. 그중 한 인부가 어젯밤에 쌓은 석축이 똑바로 잘 쌓아졌는지 확인하려고 아침에 혼자 여관을 빠져나왔단다. 안타깝게도 석축을 들여다보다가 마침 역곡역으로 진입하던 열차에 머리를 부딪치는 사고를 당했다.

급히 병원에 옮겼지만 그대로 절명했단다. 참으로 청천벽력같이 안타까운 상황이었다. 공사가 끝나고 계약도 마무리되었지만, 공사의 결과물을 확인하려던 그분의 책임감에 가슴이 아파졌다. 무언가 모를 도의적인 죄스러움이 가시지 않았다. 이틀간 장례식장에 계속 상주하면서 소소한 일 들을 거들어 드렸다. 발인 직전 고인 가족 중 한 분이 내게 다가오셨다. 참 고맙다며 손을 내미셨다. 그 손을 제대로 잡아드릴 수 없었다. 나는 조만간 회사를 정리해야겠다고 생각했다.

상을 치러내고 다음 공사로 유한공업전문대학 앞 가로수로 플라타너스라고 불리는 서양 버즘나무를 심었다. 가끔 경인 국도를 지나다닐 때면 까마득해진 그때 일들을 아릿하게 기억해내곤 했다. 오랜 세월 동안 아름드리로 자라던 오류동과 접경한 유한대학교 앞 가로수인 버즘나무는 수종 교체가 되어 모두 사라졌다. 내가 심었던 나무의 흔적도 세상에서 점점 사라져간다. 조경 사업을 계속했더라면 어땠을까?

올해 초, 인도 작가 수마라 로이의 에세이집 『내 속에는 나무가 자란다』를 읽었다. "'이 장소의 이름이 뭐예요?' '숲이라고 해.' '여기서 쉴 수 있다는 뜻이네요.' 아이는 단어의 명백한 어원을 쪼개었고, 우리는 의자의 날카로운 가장자리로 고쳐 앉았다. 나는 그전까지 숲(forest)을 휴식(for rest)라고 생각해 본 적이 없다.", "나는 속도에 질려버렸다. 나무의 시간을 살고 싶다"라며 '식물-되기'의 상상력으로 쓴 글을 읽으며, 마치 내가 작가가 된 듯했다. 휴식 같은 나무를 다루다 정리하고, 한국생산성본부라는 안온해 보이는 직장을 선택했던, 하지만 결과적으로는 오히려 경쟁적 속도에 올라탔던 내 삶을, 경인선 전철 선로가 발 아래로 잘 보이는 역곡의 육교위에 망연하게 서서 돌아보았다. 잠시 후 굉음을 내며 온수역 쪽에서 다가온 전철은 인천 방향으로 쏜살같이 달려가고 있었다.

성장하는 삶

인연의 시작

1983년 겨울, 부천시 소사성당의 모임방. 한 달간 교리 공부를 마치고, 처음 세례를 받은 청년들이 정 에반젤 수녀님의 호출에 모두 모였다. 수녀님은 우선 청년회 명칭을 추천받다가 맘에 드시지 않았던 모양인지 갑자기 '노엘청년회'라 명명하셨다. 그러더니 대표로 나를 지목했다. 우리 집이 성당에서 가깝기도 했지만, 수녀님은 어머니와 친근하셨던 이유에서였다. 다음은 자매님들의 대표를 선출하라 했다. 모두 고개를 숙이고 어색한 침묵이 길게 흘렀다. 십여 명쯤이 둥글게 둘러앉은 맞은편에 누군가 손을 가볍게 들었다. 모두의 눈길이 쏠렸다.

"수녀님, 제가 봉사해 볼게요."

의외였다. 조용해 보이지만 단아해 보이는 모습이 내 눈 가득 들어왔다. 짧게 올린 커트 머리에 하얀 브라우스. 감색 스키니진에 보이쉬한 모습이었다. 비아 씨였다. 그렇게 결성된 '노엘청년회'의 봉사자로 둘은 가끔 만나야 했다. 소사성당이 소속된 인천교구에서 진행되는 행사나 답동성당 미사에 함께 참여해야 하는 경우도 가끔 생겼다. 어느 봄날 내가 바람을 쐬러 가자고 청했다. 봉고차를 운전해 부천에서 시흥시 미산리로 넘어가는 언덕길을 오르고 있었다. 갑자기 뒤따르던 차가 우리가 탄 봉고차를 받았다. 가벼운 충돌이었지만 무척 큰 소음이 들렸다. 뒷문 뚜껑이 열려 올라가 임시로 노끈으로 잡아맸다. 목이 좀 아프지만 병원행을 한사코 만류하는 비아 씨를 집으로 데려다주었다. 노란색 니트를 걸치고 나풀거리며 봉고차 운전석에 올랐던 비아 씨가 염려되었다. 비어버린 조수석이 무척 허전했다. 햇살은 투명하게 빛나고 있었지만, 그 길로 차를 몰아 정비소로 향했다. 그렇게 한지에 물이 배어드는 듯 서로 마음이 열렸나 보다. 비아 씨는 '노엘청년회'와 함께 교리교사회 활동을 병행했다. 여름에 강화도에서 열린 교사회 캠프에 참여한 비아 씨가 차편이 없어 귀가가 어렵게 되었다. 동생을 불러 운전을 시켜서 캄캄한 섬의 밤길을 달려가 함께 돌아온 적도 있었다.

청년회를 함께하며 대학 시절 배워둔 사물 악기를 회원들에게 전수했다. 풍물팀 이름을 '여러 사람이 힘을 합해서 하는 일'이라는 순수한 우리말 "울력"으로 정했다. 장구, 북, 꽹과리 등 국악기를 구입해서 풍물놀이판을 구성하고 성당에 모인 남녀노소 신자들과 함께 즐겼다. 특히 어르신 신자들의 호응이 대단했다. 가을에는 고무판을 대량으로 사다가 조각도로 파내어 성화 판화를 찍어냈다. 베니어판으로 액자를 만들고 투명 비닐로 성화 패널을 만들어 전시했다. 거친 터치의 패널은 예상을 뒤엎고 꽤 많이 팔려나갔다. 추가로 조각을 더해서 다양한 작품을 만들었다. 수입금은 성당에 기부했다. 물론 일부는 활동비로도 충당했다. 그 일들을 함께 했다.

그러다가 누가 먼저랄 것 없이 서로, 서로의 Best half가 되기로 했다.

결혼식은 1987년 3월 1일 삼일절. 소사성당에서였다. 송주석 안셀모 신부께서 혼배미사를 집전해 주셨다. 퇴원 후 한국일보로 돌아가지는 못했지만 신문사 선후배들이 여러분 부천까지 와서 축하해 주었다. 또 새로 입사한 지 팔 개월 된 한국생산성본부 동료들도 부천 성당으로 많이 왔다. 지금보다 정이 많았던 시절이었다. 그해 1월 박종철의 고문사로 전두환 정권에 대한 반대 시위가 거칠어졌다. 부천에 있는 공장지대에는 노동운동이 활발했다. 성당을 중심으로 노동사목이 전개되어 반정권 활동이 격화되기 시작했다. 결혼식에 참석을 위하여 성당으로 오다가 부천역 인근에서 데모대와 경찰 대치에 길이 막혀 돌아간 하객도 여러 분이셨다. 피로연에서 국수를 먹으며 미당 서정주의 시가 생각났다. "한 송이의 국화꽃을 피우기 위해/봄부터 소쩍새는/그렇게 울었나 보다." "우리의 결혼식을 축하하기 위해/삼일절에 부천서 경찰은/그렇게 최루탄을 쏘았나 보다."라고 농담했다. 씁쓸했다.

당시 신혼여행은 해외여행이 불가능한 시절이어서 대개 제주도를 다녀왔다. 신랑은 양복 차림에 신부는 한복을 예쁘게 입고 주로 사진을 촬영하고 왔다. 하지만 우리는 평상복에 배낭을 메고 김포공항에서 여수행 비행기에 올라탔다. 저녁 식사 메뉴는 '삼숙이 매운탕'. 여수관광호텔에서 여장을 풀고 다음 날 오동도를 다녀왔다. 태어나서 처음으로 진한 화장을 했던 비아 씨의 얼굴은 화장독으로 울긋불긋한 열꽃이 피어났다. 성당 교우로 아내의 신부 화장을 도와주신 개미미용실 여사장님을 속으로 원망했다.

배편으로 한려수도를 항해하고 부산을 거쳐 기차를 타고 동해안을 따라 강릉까지 올라갔다. 강릉에서는 택시를 대절해서 한계령, 오죽헌 등을 들렀다. 강릉에서 귀경하는 항공편은 손바닥만 한 비행기였다. 마침 비가 오기 시작했고 악천후에 비행기는 기류를 잘못 만나 서너 차례 곤두박질을 치며 김포에 안착했다. 국토 1/2주의 신혼여행은 그렇게 끝났다.

신혼집은 영등포구 대림동 대림우체국 건너편 골목길 안의 이층 양옥

집. 이층에 마루를 사이에 두고 다른 집과 함께 세 들어 살게 되었다. 마당에는 대추나무 한 그루가 자라고 있었다. 신행을 마치고 우리 집에서 첫날밤. 새벽에 단칸방 창문 유리가 깨지는 소리가 들렸다. 벌떡 일어나 방의 불을 켜고 창문을 살펴보니 누군가 문고리를 비틀어 열려다 유리를 깨뜨려 놓았다. 창문을 열고 좌우를 살폈다. 인기척이 없어서 창문을 닫았다. 잠시 후 방 불을 껐다.

그 순간 검은 그림자가 창문 앞으로 쓱 지나갔다. 다시 불을 켜고 내다보았지만, 사방은 조용했다. 비아 씨를 진정시키고 잠에 들었다. 다음 날 아침 우리 집 부엌에서 없어진 식칼은 대문 옆에 놓인 쓰레기통 속에서 발견되었다. 동네 좀도둑들이 새로 이사 온 집의 첫날밤을 노린다는 것이 집주인의 말이었다. 우리 부부는 '신혼의 단꿈' 대신 '식칼에 깨진 유리창'으로부터 출발했다. 그러니 꼭 잘 살아내고 싶어졌다.

허니문 베이비인 아들 경근이를 갖고 나서 회사에서 퇴근하면 비아 씨가 찾는 음식이 있었다. 먹덧은 소박하게도 싱싱한 배추겉절이가 나오는 칼국수집. 대림동 명동칼국수의 단골이 되었다. 우연히도 아들은 겉절이를 아주 좋아한다. 음식점 건너편 대림동우체국 앞 계단에는 베고니아 화분이 가지런히 놓여있었다. 조용필의 노래 '서울 서울 서울' 가사 그대로다. 신혼여행을 다녀오고 신혼의 첫 계절이 지나가던 그해 6월 9일, 연세대생 이한열이 최루탄에 맞아 사망했다. 전두환 정권은 6·29선언을 통해 대통령 직선제 개헌을 약속했지만 1987년 6월 항쟁으로 이어지는 혼란한 시절이었다.

홍보가 기가 막혀

1986년 7월 1일 한국생산성본부 홍보출판부 『월간 기업경영』 잡지 담당으로 입사했다. 그곳에서는 오랜 연륜을 가진 경영전문지 『월간 기업경영』과 『생산성신문』, 『생산성』 등의 매체를 발행하고 있었다. 출근을 시작해서 업무 파악을 하는 중에 얼마 지나지 않아 광고비 횡령 사건이 터졌다. 관련자들이 징계 대상에 오르자 급하게 내가 총대를 멨다. 전 직장의 네트워크와 에이전시의 생리를 이해할 수 있었던 점에서 자신감이 있었다. 급하게 인천 보르네오가구 공장 등을 방문해 사태를 파악하고 광고 관련 문제들을 수습했다.

입사 면접에서 나를 선발했던 손병두 상무에게 칭찬을 들었다. 후일 전경련을 거쳐 서강대 총장, KBS 이사장을 역임한 손 상무는 마침 ROTC 출신이자 돈 보스꼬라는 세례명이 부친과 같은 분이셨다. 후일 비아 씨와 같이 구례 화엄사를 올라가는데 사모님과 운전사와 함께 절에서 하산하고 계셨다. 달려가 인사를 드리니 잘 기억은 못하시지만, 두 손을 잡아주시며 무척 반가워하셨다. 세월의 흐름이 느껴지던 순간이었다.

사고 처리가 끝나고 잡지의 취재와 편집 업무에 복귀하자마자 또다시 본부의 30년 역사를 정리하는 사사(社史) 제작 실무를 맡게 되었다. MBC 해직기자 출신인 김정명 홍보이사가 제작을 관장했다. 그는『모래톱 이야기』,『수라도』 등을 쓴 요산 김정한 소설가의 조카로 실무진에게 사사 제작의 자율권을 충분하게 주었다. 후일 울산문화방송사장을 지내고 은퇴했다. 집필과 편집은 권호범 과장, 유안리 위원, 최국희 위원, 디자인에 추병수 디자이너가 함께했다. 평일에 원고지와 교정지 뭉치를 싸 들고 우이동 계곡에 몰려가서, 일은 미루어 놓은 채 진달래 능선에 무리지어 붉게 피어난 봄꽃을 바라보며, 막걸릿잔을 기울이기도 했다. 여유가 좀 있었던 시절이었다.

『한국생산성운동 30년사』를 제작하며, 사사는 제호가 가장 중요하니, 일중 김충현 선생 같은 유명 작가의 글을 받자는 의견이 간부 회의에서 나왔다. 하지만 당시 '국필'이라 불리던 그의 글씨를 받기 위해서 우리가 받아놓은 제작 예산은 보잘 것 없었다. 내가 부정적으로 의견을 냈지만, 소용이 없었다. 아마추어들이 모여서 프로 말은 안 듣고, 의욕 없다고 조롱하는 꼴이 우스워 보이기도 했다. 일단 일중 김충현 작가에게 먼저 연락을 드려서 일을 도와주는 직원에게 그룹사 몇 군데의 글 가격을 파악해서 상황을 정리했다. 그러자 동생인 여초 김응현 선생의 글을 쓰자는 의견도 나왔으나 그 역시 소수 발언으로 묻혀버렸다. 결국 제호는 활자체를 약간 두껍게 보완해 사용했다. 그런대로 멋스러웠다.

사사를 만들며 한국생산성본부 전자계산소에서 우리나라에 최초로 도입한 컴퓨터시스템의 사진을 발굴했다. 기록은 있지만 우리나라에서는 그 사진을 구할 수가 없었다. 한국후지쯔 홍보실에 연락해서 일본 후지쯔 본사에서 어렵게 찾아낸 사진을 전달받았다. 감격스러웠다. 배에 실려 온 컴퓨터를 인천에서 화물 트레일러 5대에 나누어 싣고 서울 도심을 3바퀴 도는 귀한 사진이었다. 이 사진을 전자신문사에서 한국 최초 도입한 컴퓨터라는 캡션을 붙여서 게재했다. 요즈음도 우리나라 최초 컴퓨터 도입 기록 자료로 활용한다. 그런데 한국IBM은 1967년 경제기획원 조사통계국에 도입된 IBM1401이 한국 컴퓨터 1호라고 주장한다. 이는 문서상의 기록이 4월 25일로 5월 12일인 생산성본부의 '파콤222'보다 17일 빠르기 때문이다.

◇ 국내 첫 컴퓨터인 '파콤222'가 한국생산성본부로 이동하던 당시 모습. [출처=한국후지쯔]

1967년에 한국생산성본부 전자계산소 소장으로, IT계의 문익점이라 불리는 이주용 KCC정보통신 회장은 2007년 집필한 『반세기 컴퓨터와 함께 한 나의 인생』에서 다음과 같이 말한다. "우리나라 컴퓨터 1호기가 무엇이냐 하는 데는 미묘한 문제가 있었다. 아직 많은 사람들이 IBM1401을 한국에 처음으로 도입된 컴퓨터로 알고 있지만, 실제로는 FACOM222가 IBM1401보다 한 달 보름여 일찍 들어왔고 실제 가동도 더 빨랐다. 그런데 민족감정 같은 것도 있고, 정부쪽에서도 일본에서 먼저 들어왔다는 것을 그다지 달갑게 생각지 않았고, 나 역시 IBM에서 근무한 적도 있어서 당시의 분위기에 동의했던 것이다. 그러나 역사가 뭐라고 말하든 간에 나는 말할 수 있다. 내가 대한민국 제1호 컴퓨터 도입의 신기원을 이루어냈으며 그 산증인이기 때문이다."

사사 발간을 마치고 홍보출판부 기업경영지로 복귀해야 하지만 회원사 업부에 자원했다. 옆에서 보고 기록하는 일 보다는 산업과 경영이 직접 이루어지는 여러 기업을 경험해 보고 싶은 이유였다. 기업의 생산성향상을 위한 종합 서비스를 제공하는 "생산성회원" 제도를 유치하는 일이 오히려 배울 것이 많아 보였다. 회원제도는 당시 가입비와 연회비로 56만 1천 원을 책정했다. 본부 재정에도 도움을 주는 사업이었지만 회원유치를 설득해서 가입을 시키는 일은 성과가 부진했다. 부서장이었던 강주석 부장에게 제안했다. 내 차량을 공용 업무에 투입하고, 후배인 이종명 위원이 프레스토 차량을 새로 구입해서 업무용 차량으로 활용해서 수도권의 공업단지를 공략하기로 구상했다. 안중에서 정미소를 운영하는 부농 집안 출신인 이 위원은 아주 좋아했다. 부장은 흔쾌히 동의했으나, 내가 요구했던 차량 운영비와 활동비를 일부 삭감했다. 3인 1조를 짜서 구로공단, 안산공단, 인천의 각 공단들을 공략했다. 일 년쯤 지나자 180개 정도 회원사가 300여 사 이상으로 급증했다. 외근을 자유롭게 할 수 있게 되자 야간에 수업이 가능한 건국대학교 산업대학원으로 진학해 생산관리를 전공하고 공정관리 방법론에 대한 논문을 작성했다.

논문을 마치고 나니 갑자기 홍보팀장으로 발령이 났다. 회원사 관련 업무를 좀 더 희망한다는 의견을 개진했지만 이미 결정된 인사 발령이였다. 당시 노동조합과 본부 회장은 대립 관계에 있었다. 회장 임기가 얼마 안 남았기 때문에 무리 없이 임기를 마무리하려면 홍보는 경험자가 적임이라는 이유였다. 내 입장에서는 매체에 근무하다가 기자들을 거꾸로 상대해야 하는 일이 그리 탐탁하지 않았다. 홍보 일을 하면서 기관 출입 기자들과는 적당한 긴장 관계가 생겨난다. 몇몇 버릇없는 이도 있는 반면 업무 내외적으로 인간적인 관계도 형성된다. 어느 날은 점심을 3번에 걸쳐 각기 다른 신문이나 방송사 기자들과 먹은 적도 있었다. 그때는 점심 식사를 하면서도 일상적으로 반주를 했다. 심지어 여기자들도 술잔을 먼저 청하기도 했다. 홍보 쪽에는 일반 부서와는 달리 유연한 공간이 꽤 넓었다. 가끔 밤에도 어울려야만 했다.

홍보는 가끔 뒤통수를 맞는다. 내게도 당연하게 몇 차례 그런 일들이 발생했다. 의도를 숨기고 베타캄이라는 방송용 비디오카메라를 들고 와서 전산 강의실을 스케치하고 갔다. 저녁 뉴스 방송을 보니, 폐기를 위해 강의장 뒤편 구석에 모아둔 모니터와 컴퓨터 본체가 집중적으로 비추어졌다. 취재 방향과는 정반대 내용의 리포트가 흘러나오고 있었다.

집하를 위해 모아둔 자재가 방치로 프레임 되는 순간이었다. 당장 전화로 항의했으나 이미 쏟아져 버린 물이었다. 일의 성취와 보람보다는 홍보가 기가 막힌다는 허탈의 연속이었다.

컨설팅업계

컨설팅업계 대호황

내년 1조원 시장 부상… 일감 쇄도 전문인력 확보 경쟁

맥킨지·보스톤 등 외국계 강세

▶주간 매경과 공동으로 기획한 기사

그럴 때에는 성윤석 시인의 『혀』를 읽어야 했었다. “부끄럽다 남보다

많은 월급을 타기 위해/남의 혀가 되어 산 날이 많았다./퇴근 후엔 성안에 있는 사무실을 빠져나와/외투를 입고 외투 깃을 세우고 눈 내리는/음습한 밤거리를 걸었지. 담배였던가./그때 내가 떨어뜨리며, 간 것이, 담배뿐이었던가./버석거렸던 희디흰 밑바닥 슬픔은 왜 끈질기게 따라왔던가./내 혀로/나는 이제 말하고 싶다./기차가 도착하자, 바다였다./그때는 사랑한다 말 못 했다고 -문학과지성사 시인선 447 『멍게』

홍보를 하며 공공기관으로 언론사와 밀접한 협조체제를 만들어 보는 것이 좋겠다는 생각이 들었다. 마침 케이블 TV가 우리나라에 도입되고 있었다. KPC를 출입하는 매일경제신문사 기자에게 부탁해서 우리 본부의 출자 의향을 비공식적으로 전했다. 긍정적인 반응을 듣고 리포트를 급하게 썼다. 중앙대학교 언론대학원이 개설한 "CATV 최고경영자 야간과정"에 등록해서 공부를 하며 리포트를 준비했다. MBN에 소액 출자로 언론사 주주 지위를 얻고 본부의 생산성 향상 사업의 협력체제 구축이 가능하다는 요지였다.

아웃라인 중심으로 요약 보고하여 삼천만원을 투자하는 회장 결재를 얻어냈다. 경제, 산업, 경영 전문 공공기관으로서 생산성본부가 처음으로 참여한 외부 투자였다. 케이블 TV의 수익성이 그리 높지 않아 단기적인 배당이 계획대로 이루어지지는 않았지만 후일 MBN 증자에도 참여하게 되었다.

사판에서 숏츠까지

3년쯤을 홍보팀장으로 부대끼자, 차상필 회장께서는 이제 놓아줄 때가 되었다며 가고 싶은 부서를 고르라 했다. 나는 영상에 흥미가 생겨서 영상교재부를 희망했다. 슬라이드 필름과 비디오테이프를 활용해서 산입교육에 필요한 영상을 만들어 보급하는 직무였다.

영상교재부에 전입하자마자 부서장이던 곽홍규 차장과 상공부를 방문했다. 당시 과소비를 경계하고 건전한 소비생활을 북돋기 위한 영상교재를 긴급하게 제작하고 있었다. 시나리오를 집필시키고 콘티를 짜서 대본을 만들어 영상을 촬영하고 녹음을 입혀 가편집한 교재를 만들었다. 상공부를 통과해서 대통령에게 보고하기 직전 최종 검토자가 김종인 경제수석이었다. 이십여 분가량으로 제작된 교재를 집중해서 보고나더니 꽤 많은 의견을 말했다. 상공부 직원들은 경제수석의 말을 빠짐없이 빠르게 받아 적었다. 우리 제작진은 그날 밤새 영상을 다시 편집하고, 김도현 성우를 호출해서 대기시켰다가 재녹음을 진행했다. 다음날 청와대 대통령 보고가 끝날 때까지 청와대 경내의 업무동 앞에서 대기하며 손에 땀을 쥐고 있었다. 무사히 끝났다.

영상교재부에서는 당시 사회적 이슈이던 근로의식 고취를 위한 16미리 홍보 영화 『귀항』과 대구시청 홍보영화 『산업평화의 길』을 수주해서 제작했다. 나는 원활한 제작을 위한 지원업무를 했다. 얼마 후 무역협회, 전경련, 경총 등 경제 단체로부터 이천만 원이 좀 넘는, 당시로서는 거액의 예산을 받았다. '기업체 건전생활추진위원회'에서 근로의욕 진작을 위한 영화를 만드는 기획이 확정되었다. 16밀리로 기획했지만 예산을 약간 증액해서 극장용인 35밀리 영화로 만들기로 수정되었다.

경남 거제도 대우조선에 근무하는 여성 최초 용접공의 실화를 다룬 『철판을 수놓는 어머니』의 제작부장으로 임무가 주어졌다. 시나리오와 연출은 안태근 감독, 카메라는 이승언 촬영감독이 맡기로 했다. 내 옆자리 동료인 안 감독은 신봉승 작가 옆집에 살며, 그에게 고교 시절부터 사사하고 중앙대 연극영화과에서 연출을 공부했다. 영화배우 이소룡 매니

아인 그에게도 35미리는 입뽕 작품이었다. '철판을 수놓는 천사'로 불리는 '어머니분임조'의 이병옥 조장으로 배우 안옥희를 캐스팅했다. 양영준, 정종준, 차기환, 심우창 등 조연급 배우들은 주로 중앙대학교 연극영화과 출신으로 캐스팅했다.

1990년 12월 11일 새벽, 적선동 한국생산성본부 앞에서 어둠을 뚫고 영화 촬영 버스가 출발했다. 정말 썩어빠진 고물 버스였다. 돈을 잘 벌지 못하는 영화 촬영 버스는 성능보다는 싼 게 최고다. 상태가 좋은 신형 버스는 수지가 맞지 않아 오히려 감가상각이 모두 끝난, 그래서 굴러만 가면 되는 버스를 임차해 사용한다. 점심때가 되자 안성 인근 고속도로 갓길에 차가 멈추어 섰다. 제작진과 출연진은 가드레일을 넘어, 논길을 한참 걸어서 농가로 들어갔다. 아는 사람 아니면 모른다는 히든 레스토랑 '집밥집'이었다. 시장이 반찬이었다. 맛있었다. 막걸리도 걸쳤다. 비몽사몽간에 버스는 거제도로 내달렸다. 옥포 대우 호텔에 도착하니 밤 열두 시가 가까워졌다. 제작진 사십여 명을 호텔 로비에 집합시켜놓고 신속하게 방 배정표를 짜서 투숙시켰다.

다음 날 일찍 대우조선 홍보실을 방문했다. 회사는 자사의 홍보를 위하여 적극적으로 도움을 주었다. 장소 헌팅, 촬영 현장 진행 지원은 물론 호텔 숙박비도 대폭 할인해 주었다. 마침 우리 본부 국제부 모 과장의 전직 근무처가 바로 대우조선 홍보실이었던 것도 우연이었다. 촬영 일정이 중반을 지나자 피로도가 높아졌다. 어느 날 아침 조명감독이 보이지 않는다. 숙소에 가서 보니 갑자기 배가 아프다며 뒹굴고 있었다. 회사 부속병원으로 이송했으나 계속 통증을 호소한다. 사고가 발생하고 촬영 스케줄에 부담을 주면 일정이 늘어나고 제작비가 증가한다. 홍보실에서 주선하여 부산과 옥포를 왕복하는 업무용 헬기에 조명감독을 태워 부산에 큰 병원 진료를 받게 했다. 저녁에 다시 돌아온 그는 멀쩡했다. 그 사이 다른 스텝이 내게 귀띔해 주었다. 늦은 밤까지 촬영을 하고 술을 마신 다음 꾀병을 부렸단다. 그는 가끔 못된 근성을 부리는 습관이 있다고 했다. 조명감독의 얼굴을 마주한 나는 우선 육두문자를 날렸다. 머쓱해진 그는 새파란 후배 뻘인 내게 재발 방지를 약속했다. 대신 나는 조명 용역 계약서를 꺼내들고, 도급 금액에서 그날 일당 분을 칼같이 정확하게 공제했다.

주연인 안옥희 배우가 성당을 가고 싶다고 했다. 일요일 오전에는 반나절 쉬고 오후부터 촬영을 계속하기로 했다. 미사를 가고 싶은 가톨릭 신자가 3명으로 파악됐다. 내가 운전을 해서 옥포성당의 오전 미사를 드리고 왔다. 돌아오는 차 안에서 이구동성으로 영화가 잘되기를 진심으로 빌었단다. 농담 반 빈말에도 고마웠다. 나 역시 그렇게 간절하게 기도했다. 이후 안씨는 EBS 드라마에 출연하던 중에 생을 달리해 이 영화가 그녀의 마지막 영화 출연작이 되었다.

배우들은 공장관련 용어와 제조업의 분위기에 익숙하지 않았다. 그러다 보니 자신감이 없어 대사가 꼬이고 연기도 어색했다. 특히 정종준 배우가 용어를 궁금해 했다. 안 감독은 내게 설명을 요청했다. 공장회의실에 배우들을 모두 모으고, 사실 바로 6개월 전에 산업공학 석사를 취득했다고 말한 다음 기업과 공장의 조직과 구조를 먼저 설명했다. 다음 공장관리, 공정관라, 품질관리를 각각 설명해주고 QC, TQC. SQC의 차이도 알려주었다. 선박 제조 공정도 개략적으로 설명하고 용접 공정의 품질 관리의 중요성을 강조했다. 회사 생활을 해 본적이 없던 배우들은 눈을 초롱초롱 밝히며 진지하게 경청했다. 공장에 대한 감이 생기니 연기가 확실히 매끄러워졌다. 고맙다는 말이 되돌아왔다.

집으로 전화를 걸었다. 비아 씨와 반가운 안부를 나누는데 수화기 속에서는 이제 막 말을 배우는 경근이의 목소리가 흘러나온다. "언제 오세요. 보고 싶어요. 빨리 오세요..." 공중전화 동전 떨어지는 소리가 장맛비 함석지붕에 떨어지는 소리 같다. 한 주먹 움켜쥔 동전이 삽시간에 전화통 속으로 사라졌다. 가슴 한쪽이 아릿아릿하다. 아빠는 집을 지키는 이들을 위해 멀리에서도 힘을 한껏 낼 수 있었다.

'옥포조선소', '구조라 해수욕장', '지세포항', '망치몽돌해변', '다대다포항', 장승포항'...... 영화 화면 속에 녹아 들어간 거제도의 명소들이다. 출연진으로 만났던 중대 연극영화과 ROTC출신 배우 심우창 선배와 소주잔을 앞에 놓고 젓갈로 집어 올렸던 지세포항의 겨울 전어 맛이 아직도 내 입속에 기름지게 맴돈다. 거기서 처음 겨울 전어의 우마미를 배웠다. 심 선배는 여주인공과 술 취한 연기를 잘 하려면 제작부장인 내가 대작을 해주어야 한다며 한낮 음주를 꼬드겼다. 12월 19일 촬영이 끝났다. 제작부장으로서의 내 역할은 마무리되었지만 납품기일에 맞춰 편집, Optical, 녹음, Correction, Print 등 후반작업 후에 1월 14일 무사히 시사를 마치고 수금도 완료했다.

그해 겨울, 35mm 컬러 스탠다드 50분 품으로 거제도 올 로케이션으로 제작한 안옥희 배우의 유작, 『철판을 수놓은 어머니』는 제9회 금관상영화제 작품상, 기획상, 촬영상을 받았다. 하지만 제작부장이었던 내게 돌아오는 보상은 별로 없었다. 대신 생산성본부의 재무구조가 어렵던 상황이어서, 영화 제작 대금을 모두 받아 입금했음에도 사업비 집행이 계속 지연되었다. 출연료와 각종 경비 지급을 서둘러 달라는 독촉이 오롯이 내게 집중되었다. 곧 처리될 테니 기다려 달라고 사정을 하고, 경리과에 읍소를 하며 한편으로 아우성도 쳤다. 하지만 사업비 집행은 구정이 지나서야 어렵사리 마무리되었다.

기사스크랩

1995년 6월 3일

문화일보

他대학-학원서도 학점딴다

평생학습 열린교육

시간제 학생 학점은행 도입

일류병치유 전문인력 신속 공급효과

▶사진 우측 끝이 필자 문화일보 1995.6.3

영화를 마친 다음부터 본격적으로 교육용 영상교재를 제작했다. 일본생산성본부 즉 JPC의 산업용 비디오 교재를 도입·번역해서 성우 더빙과 자막 번역을 거쳐 우리나라 현실에 부합하는 교재로 제작해 보급했다. 또한 산업안전교재, 인사고과교재 등을 시리즈로 개발하여 영업직원을 충원해 보급했다.

당시 이화여대나 한양대학교의 시청각교육학과에서는 시청각 매체의 일종으로 모래판인 '沙版'도 교과에서 다뤘다. 글이나 그림 같은 기호로 정보를 전달하고 교육하는 내용도 공부했다. 비디오나 영화 같은 동영상은 적어도 20여 분은 넘어야 기승전결의 내용을 체계적으로 전달할 수 있다는 철칙도 어느 사이 무너졌다.

보통 20분 내외에서 12분, 8분, 3분으로 계속 줄어들던 영상 메시지는 요즈음은 유튜브나 쇼츠를 활용한다. 지루함을 참지 못한다. 또 AI와 GTP에 열광한다. 세상과 교육이 시청각교육에서 영상교육으로, 사이버교육과 이러닝으로 또 가상현실인 버츄얼러닝으로 변해간다. 나는 지금 여기에 엉거주춤 서서 어떤 새로운 변화를 만들어가고 있는지 모르겠다.

▶ 국가기록원에 소장된 영화 『철판을 수놓는 어머니』

실패한 이러닝 TFT

홍보팀에서 산업교육 부서인 경영교육부로 옮기던 즈음, 산업교육에서도 온라인교육이 화두로 급부상했다. 2000년 5월 삼성에서 온라인교육 업체인 크레듀를 설립해서 2006년 11월 코스닥에 상장하는 등 온라인 교육은 폭발적인 관심을 끌기 시작했다. 생산성본부도 미래 사업 영역을 발굴하기 위한 노력의 하나로 태스크 포스 팀을 발족시켰다. 정보화사업부 최정림 실장, 공장자동화의 임용택 위원과 함께 업계현황 조사와 분석, 전망을 리포팅 했다. 채재억 회장도 자주 TF팀을 찾았다. 정례화해 놓은 보고 이전에 궁금함을 질문하고 가벼운 의견을 나눴다.

3개월간의 프로젝트가 끝났다. 팀의 분석 결과는, 전체 시장은 급신장하지만, 본부의 역량을 고려할 때 보수적인 접근을 권고한다는 결론을 냈다. 하지만 일부 간부는 적극적인 사업계획서를 만들어 투자설명회를 통한 자금 조달과 분사 독립을 주장했다. 다시 과제가 3개월 연기되었다. 결국 팀의 의견이 관철되고 현업에서 확장 개념으로 온라인 교육을 적극 추진하는 방안이 채택되었다. 시류를 앞서가는 진보적 입장과 현상을 점진적으로 개선해 나가는 입장 사이에 절충점을 찾아가는 것의 어려움을 절감했다. 사업타당성을 검토하다가 새로운 법인을 만들어 사업에 참여하는 안은 기각할 수밖에 없었다. 이 경우 타당성 검토 자체가 실패는 아니다. 가능성이 낮은 사안은 시도하지 않아야한다. 정부나 지자체의 '예비타당성검토' 면제가 이슈가 되고 있는 요즈음, 관점이 중요하다는 사실을 재삼 깨닫게 된다. 하지 않는 것도 성공이다.

1998. 10. 9. 금요일 서울경제 사설·오피니언

금요발언대

농촌 투자사업 부실화 막게
농정 재정립 지속적 개혁을

金鎔澤
(농촌경제硏 부연구위원)

인력관리 종합 정보망 구축
과학적 고용대책 수립해야

康基英
(생산성본부 전문위원)

엔고 지속땐 가
국내경제 질적

李忠植
(동원경제硏 종합분석실장)

6개월을 투자한 온라인교육 TFT의 구체적이며 가시적인 성과는 미미했지만, 집중적인 스터디를 통해서 교육사업의 미래 비전을 고민한 내용은 소중한 자산이 되었다. TFT에서의 다양한 고민은 후일 급변하는 상황에도 재빠르게 의사 결정을 할 수 있게 되었다. 또한 이러닝사업부의 부장과 본부장 역할도 원활하게 수행할 수 있었다.

광속의 거래를 이루는
산업의 인터넷 칼스(CALS)

생산성정보
1997. 2. 3
제52호
초·점
시나리오기법을 활용한
리스크 매니지먼트

1995. 10. 9 (제16호)
정보화
〈트렌드다이제스트〉
新산업혁명 칼스(CALS)

TFT에 참여하며 시간적인 여유가 좀 생겨서 외부 매체나 다른 회사의 사보에 간단한 주제로 리포팅하여 여러 편 기고했다. 인적자원개발, 리스크 매니지먼트, CALS 등 시류에 맞는 주제를 다뤘다.

눈물의 비디오, 그 후

1997년 IMF, 외환위기가 터졌다. 정확하게 '1997년 아시아 금융 위기(Asia Financial Crisis)'로 불리는 유동성 위기가 우리나라와 아시아를 강타했다. 대기업과 은행이 붕괴하고 대규모 실업과 부동산 헐값 매각, 금융 불안 속에서 외환이 위기를 맞고 IMF의 계획에 따라 가혹한 구조조정이 실행되었다. 오일 쇼크의 충격이 잠시 있었지만 1997년 외환위기는 경제위기의 참모습을 인식하게 하고 평생직장의 소멸과 함께 양극화, 고용불안, 청년실업 등은 27여 년이 지난 현재까지 그 후유증을 극복하지 못하고 있다.

외환위기 당시 나는 산업교육 부서인 경영교육부 마케팅교육팀 팀장으로 일하고 있었다. 경제 상황 악화에 따라 년 초부터 교육 접수 인원이 급격하게 줄어들고 있었다. 수강생을 유지하기 위한 대책을 마련해야 했다. 프로그램을 보완하고 기업 교육 담당자에게 교육 접수를 권유하고 수강생들에게까지도 유치 전화를 돌렸다. 백방 노력이 허사였다.

해가 바뀌어 1998년 초 지인을 통해서 제일은행의 『눈물의 비디오』를 구했다. 은행의 사내 의식개혁용으로 제작한 명예퇴직 관련 비디오 교재였다. 당시 제일은행은 48개 지점을 폐쇄하고 약 4000여명에 직원을 감원했다. 명예퇴직을 당해 떠나는 직원들과 남은 직원들의 진솔한 심경과 각오가 모두를 울린 내용이었다. 마케팅교육팀 팀원들과 함께 비디오를 시청하고 어려움 속에서 단합하여 노력하자는 각오를 전달했다. 먹먹한 가슴으로 비디오를 본 팀원들은 적극적으로 업무에 몰두해 주었다. 참 감사한 마음이다.

마케팅교육팀장에 이어 실업자재취직훈련 팀장도 겸하게 되었다. 노동부의 고용보험을 재원으로 "실업자재취업훈련"에 대한 정부 지원교육이 실시되었다. 제도 시행 전부터 종로고용안정센터를 출입하며 교육과정

편성과 운영 실무에 대한 경험을 공무원들에게 전하고 실효성 높은 교육에 대해 조언했다. 내가 먼저 개발한 과정은 "소자본창업 과정"이었다. 3일간에 걸쳐 20시간 동안 적은 자본으로 접근이 가능한 업종 중심으로 사업계획서를 작성하고 사례를 학습하는 과정이었다. 나도 "창업 인맥 네트워킹"이라는 과목을 준비하여 강의했다. 강의와 교육 프로그램을 정리해서 "성공 퇴직 올 가이드"를 공동 집필로 출간했다.

초기에는 교육 과정 홍보가 어려웠다. 기존의 기업체를 대상으로 구축된 본부 교육 홍보 채널은 실직자들에게 전달되지 않는다. 기회는 우연히 왔다. 홍보팀장 근무 시 친근했던 중앙일보 출입 기자가 경제섹션 제호 옆에 창업 한마디를 몇 회 연재해 줄 것을 요청했다. 흔쾌히 원고를 보내주었다. "창업을 준비하려면 창업 일기를 써라" 같은 한 줄 워딩을 연재했다. 그런데 이를 본 다른 매체에서도 연락이 왔다. 얼마 후 가수 서유석, 송지헌 아나운서 등이 진행하는 라디오 프로그램 등 여러 방송매체에 무료로 개설한 창업 교육을 소개하는 인터뷰로 연결되었다. 신문이나 라디오 같은 미디어에 노출이 되면 수강생들의 문의로 전화기에 불이 났다. 교육 접수가 급증했다. 수강생 부족으로 대부분 폐강되어 텅 빈 다른 강의실을 배정해서 창업 교육 과정을 연이어 개설했다.

무료교육이라지만 고용보험에 가입했다가 실직한 실업자라야 수강이 가능하다. 어느 날은 군 생활을 오래했던 전역군인이 방문하여 수강을 요청했다. 구강 신청을 받던 여직원이 수강 자격이 안 된다는 안내를 하자, 책상을 구둣발로 걷어차며 불만을 터뜨렸다. 팀장인 내가 나서서 "어디에 근무하셨느냐" 대화를 시도했다. 군 생활의 공통 대화 소재로 흥분한 방문객을 적당히 달래서 보낸 적도 있었다.

창업 교육 과정 외에도 부동산컨설턴트, 재무회계 전문가 등 다양한 과정을 실업자재취업훈련으로 전환하여 운영했다. 신문과 잡지 방송 등의 홍보기능을 최대한 활용한 덕을 보았다. 창업과정은 이후 "소자본창업컨설턴트 양성과정", 프랜차이즈 최고경영자 양성과정" 등으로 확대 개편했다.

교육과정 한 기수가 끝나면 60명씩 수강하던 강의실이 텅 비어 버리고 적막감이 든다. 그럴 때면 과정을 함께하던 박상희 위원을 불러내 세종문화회관 뒤 파전집에서 막걸릿잔을 기울였다. 얼마 지나니 교육 수료생들의 창업 소식과 개업식 초대가 이어졌다. 명지대학 앞 만두가게 개업식에도 가보고 일산의 부동산중개업소 개업식에도 다녀왔다. 실직의 고통 속에서 교육을 통해 새로운 인생을 모색하는 노력을 지원했던 나도, 반쯤은 실직의 실의 가운데쯤에 있었던 동지애가 있었다. 모두 3천명이 넘는 소자본창업 과정 수료생들의 행운을 기원한다.

마음의 빚

비아 씨에게 마음의 빚이 있다. 나이 마흔이 되면 멋진 집 한 채 지어서 잘 살자 했던 말. 공수표가 되어버렸다. 집짓기라는 말은 다다르지 못한 소망이있다. 영등포구 대림동 신혼집에서 구로동 남부순환도로변에 있던 남부아파트를 거쳐 부천 고강동 미도아파트를 샀다. 부천에 살던 아파트를 처분하고 직장이 가까운 서울 응암동으로 급하게 옮겼다.

생산성본부에서 직장주택조합을 결성했다. 유도학교가 용인으로 이전하는 자리에 지어지는 조합에 가입하기로 했다. 그러나 조합원들의 자금조달이 촉박해 포기하고 목동 연합주택조합에 참여했다. 천여 세대가 넘는 규모인데 우리 본부에서는 25명이 가입했다. 오래된 플라스틱공장들이 들어서 있고 작은 수로와 수문이 있는 부지였다.

사업 진척은 느렸다. 세월을 거꾸로 거스르는 듯 시간이 흘렀다. 대출을 받아서 진행하던 동료들은 힘이 부치기 시작했다. '영끌'의 행복을 기대했지만, 불행은 바로 그곳에서 일어났다. 나 역시 계약금과 2, 3차 중도금 여력 정도로 시작했는데, 포기하는 조합원들이 생겨나기 시작했다. 서로 연대 보증으로 금융권 대출을 일으켜서 중도금을 냈는데, 한두 사람이 무너지자, 연대보증인에게 압류가 들어오는 상황이 발생했다. 나는 두 사람에게 보증 섰던 꽤 많은 돈을 어쩔 수 없이 대납해 주어야 했다.

토요일 퇴근 후 응암동 집 앞 골목을 걸어가고 있었다. 젊은 엄마가 초등학생쯤 아이를 쥐 잡듯 혼내고 있었다. 잠시 발을 멈춰 들어보았다. 아이가 문구점 앞에서 전자오락을 하다가 바이올린을 잃어버렸다는 것이다. 엄마는 미친 듯 소리 지르고 아이는 그저 펑펑 울었다. 정신이 번쩍 들었다. 아, 나도 그 바이올린 값보다 백배 넘는 돈을 날린 사람인데...... 자괴감이 들고 가슴에서 분노가 치밀었다.

집에 들어가 이실직고한 다음 눈치를 봤지만 비아 씨는 평온했다. 정말 신기하게도 잃어버린 돈에 대해서 아무런 말도 하지 않았다. 평생 고마운 마음으로 살아간다. 후일 그때 일을 물어봤다. 그저 미소만 지어 보였다.

조합 분양을 염두에 두고 응암동으로 옮겨 전세 입주한 집은 반지하였다. 집주인은 그럴듯한 사업가였다. 남산에 있는 모 업소, 접대하는 여직원을 80명 정도 고용하는 사업을 하면서 어릴 적 자신이 살던 큰집을 허물어 연립주택 두 채를 분양하고 있었다.

그런데 사달이 났다. 신문과 방송에 일본인들의 기생 관광을 비판하는 기사가 나며 그의 사업은 갑자기 폭 망했다. 전세금 삼천오백만 원이 공중에 떴다. 무엇보다도 더 힘든 일이 벌어졌다. 장마가 시작되자 배수가 제대로 되지 않은 지하에 지하에는 물이 역류하기 시작했다. 계단실이 잠기고 급기야 거실과 방에도 악취나는 흙탕물이 차올랐다. 동사무소 공무원들이 양수기를 싣고 와 물을 퍼냈다. 건축주 조 사장은 도피하고 분양받은 거주자나 세입자들은 각자도생의 길을 찾았다. 주변에 여러 집을 설득해 배수로를 깊게 파서 침수를 해결했다.

▶왼쪽부터 경은, 채린, 경선, 경윤

집이 그러하니 틈만 나면 지하를 탈출했다. 지방으로 여행을 가거나 주로 한강 고수부지행. 그때 흰색 LPG 산타모를 운전했는데 아이들과 함께 자전거나 킥보드를 타다가 출출해지면 트렁크 문을 하늘로 훌쩍 올려놓고 트렁크 바닥에 걸터앉아서 컵라면을 먹었다. 휴일은 눈 깜짝 할 사이 지나가 버렸다.

장석남 시인의 『오막살이 집 한 채』에 공감했다. "나의 가슴이 요 정도로만 떨려서는 아무것도 흔들 수 없지만 저렇게 멀리 있는, 저녁 빛 받는 연잎이라든가 어둠에 박혀오는 별이라든가 하는 건 떨게 할 수 있으니 내려가는 물소리를 붙잡고서 같이 집이나 한 채 짓자고 앉아 있는 밤입니다. 떨림 속에 집이 한 채 앉으면 시라고 해야 할지 사원이라 해야 할지 꽃이라 해야 할지 아님 당신이라 해야 할지 여전히 앉아 있을 뿐입니다//나의 가슴이 이렇게 떨리지만 떨게 할 수 있는 것은 멀고 멀군요. 이 떨림이 멈추기 전에 그 속에 집을 한 채 앉히는 일이 내 평생의 일인 줄 누가 알까요"

▶왼쪽부터 경근, 정민, 채린, 비아 씨

이웃의 무관심과 이기심이 확연하게 드러났지만 일말의 온정과 배려도 함께하던 해정빌라였다. 위층에 살던 지수네는 형제간보다도 친근하게 지낸다. 비아 씨는 그곳에서 태어난 정민이를 양아들 삼았다.

아이들이 좀 더 자라자 홍제동 아파트로 이사했지만, 전세금 삼천오백만 원은 소를 제기해 이십여 년이 지난 뒤에야 재개발 조합을 통해 돌려받았다. 비아 씨는 그 시절을 회상하면 가슴이 철렁이며 두근거린다고 했다. 결혼 전 유독 비를 좋아해 비아 씨라고 놀리기도 했지만, 비만 오면 창밖을 내다보며 불안한 가슴을 쓸어내리는 병으로 도진 것 같아 안타깝고 평생 미안하다.

수산계통 공직에 계셨던 장인어른(임영제 林榮濟)과 장모님(안정숙 安貞淑)은 안성천주교묘원에 잠들어 계신다. 장인어른을 시흥시 포동 천주교묘원에 먼저 모셨다가 장모님과 안성에 합장해 드렸다. 두 분 모두 참으로 너그러우신 분들이셨다. 오남매 가족, 막내사위로 첫 인사를 드렸던 날부터 헤어질 때까지, 단 한 순간도 어색하거나 불편한 느낌을 받은 일이 없었다. 딸과 사위를 마음으로 아끼고 또 우리 아이들에게 너그럽고 인자하신 어른들로 우리 가족의 삶에 든든한 버팀목이 되어주셨다. 조금 더 함께 할 수 있었으면 하는 아쉬움이 크지만…… 마음 깊이 감사드린다.

아이쿠! 아이티큐

ITQ(Information Technology Qualification)는 국가 공인 정보기술 자격제도이다. 정보화시대의 기업, 기관, 단체 구성원들에 대한 정보기술 능력 또는 정보기술 활용 능력을 객관적으로 평가하여 정보기술 관리 및 실무능력 수준을 검증하는 제도이다. 필기를 치르지 않고 실기평가로 IT, OA 실력을 평가해서 A, B, C등급으로 자격을 부여하기 때문에 ITQ 시험은 현장 활용도가 높은 실무시험이다. 한국생산성본부는 2002년 1월 당시 정보통신부로부터 국가 공인을 획득하고 업무를 담당할 ITQ 센터를 신설했다. 나는 그곳의 센터장으로 발령 났다. 신규 사업을 담당할 인력으로 창업 경험을 가진 내가 천거되었다고 한다. 나는 황당했다. 외환위기와 실업자재취직훈련으로 고생깨나 했는데 다시 힘든 시간을 보내야 하겠다는 생각이 들었다. 인사가 발표되기 전 미리 소식을 듣고 내 입에서 나온 첫 마디는 "아이쿠 또 죽었구나"였다.

신설 부서의 첫 과제는 인력 충원이었다. 주로 컴퓨터와 사무자동화 경험이 있는 인력을 계약직으로 충원했다. 정규직을 고집했으나 본부에서는 사업이 잘되면 정규직으로 발령한다는 유보적 입장이었다. 다음으로 시급한 것은 접수 자동화였다. 초기에는 박문각 등 자격 수험서를 판매하는 출판사 영업직을 접수에 활용했다. 손으로 기재한 응시원서를 모아서 고사장을 배정한 뒤 시험을 진행했다. 그런 방식으로는 제대로 된 사업화가 어려웠다. 큰 금액 투자가 어려운 현실에서 구종호 위원과 외부 프로그래머를 투입하여 3개월간에 걸쳐 원서접수 시스템을 직접 개발했다. 공간이 부족해서 엘리베이터 박스 뒤편 창고를 확보해서 밤을 새워가며 개발을 진행했다.

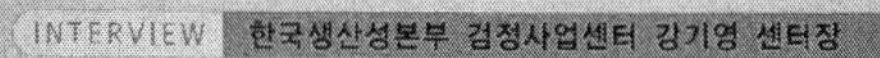

"자기 몸값은 자기가 만들어 가는 것"

"혹시 워드 몇타 치세요? 잘 치시죠? 하지만 이제는 무조건 빠른 타수는 아무런 의미가 없습니다. 일정수준에 다다르면 무엇보다 언제, 어디서나 능숙하게 처리할 수 있는 실무와 기능을 익혀야 합니다. 타자속도 보다는 생각의 속도가 더욱 중요해지는 것이 정보화시대 아닙니까?" 공공부문과 기업 내 정보기술자격(ITQ)시험은 이미 정례화 되고 있다. 승진하기 위한 기본 요소인 인사고과에 반영은 물론이요, 기본 PC활용에 ITQ 시험으로 대체하고 있으며 또한 각 대학마다 특별전형 및 학점인정이나 졸업인증제도로 자리잡아가고 있다. 그렇다면 ITQ 시험이 이렇게 공신력을 지닌 이유는 무엇인가? 강기영 센터장은 이렇게 말했다.

"가장 중요한 것은 국가공인 자격증 중에서도 객관적인 지표가 확실하며 필기보다 기업이나 현장에서 요구하는 것을 즉시 수용할 수 있는 능력을 키울 수 있다는데 있죠. 또한 등급별 관리로 꾸준히 자신을 업그레이드할 수 있다는 매력이 있기 때문입니다. 자격증시험도 시대흐름에 같이 동반해야 합니다."

강기영 센터장은 무수한 자격증이 현재 과대광고로 인해 남발하고 있는 상황에서 소위 '증'을 따기 위한 공부는 아무에게도 도움이 되지 않고 더군다나 이제 기업들도 무조건적인 자격증 취득자는 꺼려하고 있다고 말했다. 이제는 시대가 무엇을 요구하는지, 자신에게 가장 필요한 것이 무엇인지, 자기계발에 도움이 되는지를 선별하는 눈을 키우는 것이 중요하다고 강조했다.

"요즘은 공공부문도 발 빠르게 IT화 되고 있는 상황입니다. 내부 경영시스템은 물론이요 고객서비스 시스템도 확대하고 있죠. 무엇보다 정보기술의 적극적 활용을 통한 업무효율화를 추구하고 정보기술로 다양한 데이터 분석과 의사결정능력을 배양해야 합니다. 세상이 바뀌고 있습니다. 결국 자기 몸값은 자기가 만들어 가는 것입니다."

강 센터장이 강조하는 것은 무엇보다 정보기술자격시험을 통한 자기계발에 대한 지속적인 자극이었다. 지식사회의 인재양성과 기업, 국가 경쟁력 확보는 자기계발에서부터 기인하는 것이 아닐까?

비좁은 개발실은 엘리베이터실의 마찰 열기가 스며들어 에어컨이 감당하기에 어려웠다. 개발 스트레스와 더위로 이중 고통을 받으며 일했다. 개발이 끝나자 온라인 실시간으로 응시원서 접수, 고사장 관리, 합격자 발표가 물 흐르듯 연결되었다. 시스템 개발에 올인한 구종호 위원과 시험 문제 출제와 답안 디스켓 관리 시스템을 정비한 김천수 위원의 지난한 노고에 진심으로 감사했다.

그땐 누군가 "내 힘들다"라고 말하면 오히려 거꾸로 말해보라고 했다. 그러면 "다들 힘내"가 된다. 힘이 든다고 자꾸 말하면 정말 힘들다. 힘들지만, 힘을 낸다면 어려운 길도 더 수월하게 나아갈 수 있다. 내부 정비가 이루어지며 전국적으로 지역센터를 모집해 교육하고 개소시켰다. 도청소재지와 주요 시 단위를 직접 방문하여 프랜차이지 형태로 조직을 구축해 나갔다. 이틀 만에 전국을 한 바퀴 이동한 적도 있었다. 제주를 포함한 전국 네트워크 구축에는 6개월여가 소요되었다.

어느 정도 틀이 잡히자 이천에 있는 한국생산성본부 연수원에서 'ITQ 전국 지역센터 워크숍'을 열었다. 공식 행사를 마치고 연수원 식당에 각 지역센터장들이 하나둘 모여들었다. 젊은 센터장들은 사업 확대와 지역의 OA 자격 활성화 의지가 높았다. 밤새워 상공회의소의 '워드프로세서와 컴퓨터활용능력 자격증'을 추월하자는 소망을 담은 건배를 이어 나갔다. 당시에는 허황된 꿈일 뿐이었다. 젊은 혈기와 소망 그리고 의지를 담은 마음들의 부딪침은 어느새 하룻밤을 꼬박 새우고, 취기를 뚫고 맹물로 건배를 계속하다 보니 다음날 태양이 다시 슬며시 떠올랐다.

사업 첫해에 검정사업 매출 2억 8천만 원이던, ITQ는 4년이 지나 부가가치세를 납부한 상태에서도 53억 원 매출을 기록했다. 내가 직접 아이디어를 내서 국내 자격검정 기관 최초로 카드식 자격증을 도입했다. 플라스틱 카드 자격증 제작, 카드 배송 체제 정비 등 시스템도 만들었다. 포천에 있는 은행 신용카드 제조공장을 직접 방문해 소량임에도 제작을 부탁했다. 카드 배송업체도 지역 망을 새로 설계하며 최단시간 내에 배송하는 체계를 만들었다. 이제는 우리나라의 자격증 대부분이 종이 자격증과 카드 자격증을 병용하여 발급한다. 효시라는 의미의 최초 시도를 했다.

ITQ는 본부의 사업 부서이지만 독립적인 별도의 회사 시스템을 내부에 구축했다. 본부의 아이덴티티와는 다르게 별도의 CI를 만들었다. 일부 반대가 있었으나 회장을 설득하여 추진했다. 후일 본부에서는 사업 부문인 ITQ를 참고하여 CI 작업을 추진했다.

ITQ 자격 외에도 한국공인회계사회와 ㈜더존다스 등 업체와 협업하여 ERP 자격을 개발해 도입했다. 아울러 다양한 자격증을 개발할 수 있는 인프라와 '자격개발 방법론'을 만들어 나갔다. 신속한 업무 추진을 위해 MOS를 체결하고 사업을 추진했으나 실무진에서 별 진전이 없었다. 담당을 통하여 카운트파트너사의 경영진에게 미팅을 요청했다. 그런데 일본에서 만나자는 연락이 왔다. 만나자는 장소가 골프장이었다. JLPGA를 개최하는 명문구장인 후쿠오카국제컨트리클럽을 타진해 왔다. 무언가 이상했지만 내친김에 함께 운동하고 나니 실무적인 일들이 순조롭게 풀려나갔다.

▶2006년 11월 28일, 선문대학교(총장 김봉태)와 한국생산성본부(검정사업본부장 강기영)이 선문대 총장실에서 협약식을 체결했다.

실무진들의 미세한 이견을 의사 결정자들이 직접 완결하라는 중간 간부의 센스라는 생각에 실소를 머금었다. 골프장에 도착해서 식당에 들어가니 건너편 테이블에 JP와 홍란 프로 일행이 담소하고 있었다. 용인쯤에 온 듯한 느낌이었다. 잔디 상태가 아주 양호해서 마치 구름을 밟는 느낌이었다. 후쿠오카의 새파란 하늘과 바닷가 경관이 눈을 시원하게 만들어주는 상쾌한 라운드였다.

그 시절은 ITQ에 취해 살았다. ITQ에 깊이 빠져들어 ITQ를 무슨 종교처럼, 신앙처럼 붙들고 살았다. 칼럼니스트 요한 하리의 『도둑맞은 집중력』을 읽었다. "삶에는 스포트라이트 같은 집중을 위한 공간도 필요하지만, 그것 하나만으로는 솔로 오보에 연주자가 텅 빈 무대에서 홀로 베토벤을 연주하려 하는 것과 마찬가지다. 딴생각이 있어야 우리는 다른 악기들을 살려 아름다운 음악을 만들어낼 수 있다."

ITQ를 하는 4년여 동안 과도하게 몰입해서 일을 했다. 미하이 칙센트미하이나 황농문 박사의 책과 강의를 들으며 이른바 Flow의 바른길을 간다고 생각했다. 하지만 메인 디쉬와 함께하는 사이드 메뉴처럼 집중과 동시에 관심을 자유롭게 풀어놓고 모두를 적절하게 섭취해야 할 필요도 있었다. 열정의 다른 이름은 탐욕일지 모른다. 내가 종교처럼 무아지경으로 빠져들었던 일 반대편에서 서성거리던 가족, 지인들, 내가 좋아하던 또 다른 세계들... 지나고 나서야 비로소 참 미안하다.

4년간 ITQ 센터장을 마치고, 어쩌면 그러한 헌신의 대가로 정보화 사업 본부장으로 승진했다. ITQ 센터를 검정사업부로 확대·개편하고 정보화 사업부와 통신교육부 사업을 총괄했다. 그간 전국의 검정사업부문 직원들에게 보낸 편지를 묶어 『적선통신』을 출간했다. 4년간 직원들에게 보낸 편지가 53통이었다. 마침 그해 매출이 53 억원으로 4년간 21배 성장을 기록했다. 어떤 센터장이 "편지 한 통에 1억 원이네요"라는 농담을 건넸다.

백조의 물갈퀴

ITQ 4년간의 기록이라는 부제를 단 『적선통신』은 2003년 12월 30일 히딩크 감독의 "I'm still hungry."를 인용하여 첫 편지를 이메일로 보낸 이래 2006년 1월 10일 53번째까지 편지글 모음집이다. 편지를 보내면 전국 ITQ 센터 직원들의 메일 답장이 많이 왔고 좋은 제언이나 미담도 빠르게 전해졌다. 일종의 소통 미디어 역할을 톡톡히 해냈다. 회사의 노동조합 소식지와 외부 잡지에도 소개되어 눈길을 끌었다. 아주 잠깐이지만 CEO나 리더가 함께 일하는 직원들이나 파트너와 공감을 만들어가는 '편지 경영'이라는 신조어가 유행하기도 했다.

평화롭게 유영하는 백조도 물속에서는 물갈퀴 발을 교대로 힘차고 빠르게 젓고 있다. 마찬가지로, 외부에서 보면 평온하고 별일 없이 발전하고 있는 듯 보이지만 속에서는 용광로처럼 끓어 넘치며 역동적으로 움직여 나가는 것이 초창기 ITQ였다.

이제는 초기 ITQ 모습을 기억하는 사람은 부서에 아무도 없다. 2013년에도 재판 발간을 한 『적선통신』을 2020년에 복간한 것은, 새롭게 검정 사업에 입직한 직원 교육을 위해서 살아있는 실무교재 형태로 활용하자는 후배들의 강권에서였다. 그들은 『적선통신』을 읽은 후배들은 사업에 대한 이해도가 높아지더라며 좋아했다. 또한 업에 대한 가치 인식과 일에 대한 애정이 생기더라는 이야기를 전했다.

<2020년 12월 주]부크크 上梓한 『적선통신』에서 전재>

■ 적선통신 제15신 - 누군가 나를 바라보고 있을까

ITQ 각 지역센터장님, 그리고 애쓰시는 우리 직원 여러분 안녕하십니까. 우리의 가장 큰 명절인 추석이 나흘 앞으로 다가왔습니다. 방금 울산 하현조 사무국장님이 보내주신 메일을 받았습니다. 하 국장님께서는 명절을

'시간의 한 마디'라고 표현해 주셨습니다.

명절이란 우리가 앞만 보고 정신없이 달리면서 세월을 흘려보내다 잠시 멈칫해서, 부모님과 친지 어른 주위 어른을 찾아뵙고 자기 삶도 잠시나마 되돌아보는 시점이라 이야기해 주셨습니다. 그렇습니다. ITQ는 잠시 접어 두시고 반가운 가족과 친지들을 만나 즐겁게 지내시기 바랍니다. 이런 때는 가끔 오래 지난 일들이 불현듯 생각나기도 합니다. 오늘은 사적인 내용입니다만 제 경험 이야기를 두 가지 말씀드려 볼까 합니다.

칠십구 년 유월, 저는 보병 제이 십팔 사단 팔공 연대 소총 중대 화기 소대장으로 전방에서 군대 생활을 시작했습니다. 학교에 다니며 학생과 군인이라는 신분으로 이 년여에 걸친 군사교육을 감질나게 받은 다음이었습니다. 육군 소위 임관 후 지긋지긋하게 느껴지는 광주 상무대에서의 사개월간의 교육이 끝나자 각자 근무지로 팔려 나갔습니다. 수송차량에 실린 채 어둠 속으로 어딘지 알 수 없는 최전방 철책선까지 실려 온 저는 그저 해방감을 느끼고 싶었습니다.

그러나 처음 부딪친 것은 해방감이 아니라 실망감이었습니다. 집안의 후광이 화려한 동기생 몇 명에게는 권총 차고 지프차 타는, 이른바 한량하고 물 좋은 보직이 주어졌습니다. 반면 저는 '땅강아지'라 자조하는 그래서 '빼이 친다'는 지극히 평범한 전투부대에 배치되었습니다. 중앙대학 체육과를 나온 전직 태권도 선수 출신인 또 다른 동기생과 함께였습니다. 삐딱한 오기로 시작된 군대생활에서 내가 처음 만난 상관은 육군 제삼사관학교 교장 부관을 지냈다는 유능한, 그러나 냉정한 중대장이었습니다.

중대장실에서 전입신고를 마치자 깡마르고 까만 중대장은 처음 본 나를 당신이라 호칭했습니다. 상상컨대 교육을 막 끝낸 여리여리한 풋내기 소위가 그다지 달갑지 않았을 것이었습니다. 당신이란 그 호칭은 나로서는 처음 듣는 것이라 매우 낯설었으며 순간 정나미가 팍 떨어져 버렸습니다. 그에게서는 사람의 냄새가 별로 안 났었지요.

초짜 소대장인 나는 그의 앞에서는 꼼짝없이 고분고분할 수밖에 없으되 뒤돌아서는 표시 나지 않게 삐딱해지려 노력했었습니다. 그리하여 그가 눈빛으로 가지고 노는 듯한 중대원들을 교묘하게 괴롭혔습니다. 게다가 사격이나, 구보 같은 부대 평가를 하면 집요한 경쟁심으로 우리 소대원들만을 혹독하게 닦달했습니다. 결국 대대장과 연대장조차 놀랄 만큼 뛰어난 결과를 우리 소대가 기록해 냈습니다. 중대 행정반에는 엠육공기관총이나 삼쩜오인치로켓포사격 최우수, 음어암호최우수, 매복정찰최우수 등 우리 소대의 상장으로 도배를 해 버렸습니다.

나의 비틀어진 심리와 나에게 동조한 동기생의 협력으로 우리의 만행은 오백 명이 넘는 부대원들에게 이내 소문이 나버렸습니다. 누군가 대대장 전용 화장실 벽에 “강 소위와 천 소위는 xx새끼”, “두 놈은 비 오는 날 말뚝이나 콱 박아버려라” 등등의 저주에 찬 낙서를 그리기도 했었던 것으로 기억됩니다.

저는 그럴수록 악랄해져 ‘절도 있는 식당 군기’를 미명으로 이른바 직각식사를 강요하여 허기진 병사들을 굶기며 눈물을 뽑아버리기도 했습니다. 겨울에는 ‘체력 단련’과 ‘전투력 향상’을 핑계로 병사들을 발가벗겨 얼음을 깨고 차디찬 한탄강 물속에 처넣기도 했습니다. 이런 저를 보고 어떤 날은 멀리서 지프를 타고 가던 대대장이 속도 모른 채 나에게 다가와 대단히 수고하고 있다며 격려하고 막걸리 한 말과 삶은 돼지머리를 보내주기도 했었습니다.

어쩌면 지금의 내가 선생님이나 부모가 때리는 '사랑의 매'라는 것은 무조건 허위라고 믿고 있는 생각의 발원지가 바로 그러한 개인 체험에서 비롯되었을 것입니다. 그러나 나는 까딱하지 않고 그대로 밀고 나갔습니다. 따라서 나는 가끔 '나 자신이 정말 악랄한 개새끼(?)가 된 것이 아닌가?', 아니면 '정말 내 천성이 이런 것이 아니었는가?'하는 의심조차 들 정도였습니다.

일 년이 지난 뒤 중대장은 다른 부대로 전근 명령이 났습니다. 왠지 그즈음 그는 아직 밥풀떼기 하나인 나를 "강중아"라고 친근하게 부르기 시작했습니다. 본디 소위 생활 일 년 뒤 중위로 진급하게 되지만, 우리 동기생들끼리는 진급이 되기도 전에 계급을 줄여 "박 중아", "김 중아"라며 서로 장난삼아 부르곤 했습니다. 마치 초등학교의 젊은 평교사들이 전화가 오면 상대방에게 교장선생님 또는 장학사님이라 거짓으로 부르며 장난치듯 전화통에 대고 큰 소리로 말하는 것처럼...

중대장의 전근 전날 밤.
밤새 순찰을 돌다가 새벽녘 지하 벙커 입구에서 P77 무전기를 등에 멘 무전병을 대동한 그를 만났습니다. 나는 그때 군견병을 데리고 철책선을 발로 차 점검하며 고무줄로 묶인 야간 표지를 주간으로 돌리는 '새벽 순찰' 준비를 하고 있었습니다. 어둠 속에 소리 없이 다가온 그가 어깨를 툭 치며 나직하게 말을 걸어왔습니다.

"강중아 그간 고생 많았다" "뒤에서 너를 보니 내 소위 때처럼 열심히 하더라, 그래서 그저 가만히 보고만 있었다" 저는 아무런 대답도 할 수 없었습니다. 저는 다만 옆에 있던 네 살짜리 경계견 '달티'의 목줄을 꽉 당겨 잡았습니다.

그때 내 귀엔 순찰로 옆 산비탈에 도라지꽃이 새벽이슬 머금은 채로 꽃망울을 퍽- 퍽- 터트리던 소리가 선명하게 들려왔습니다. 게다가 저 멀리 발 아래 짙은 어둠에 잠겨 있던 임진강변 도감포의 안개도 점차 걷히기 시작하는 것이 시야에 들어왔습니다.

그가 떠난 그 이후 내 군대 생활은 갑자기 온순해졌습니다. 깊은 대화가 별로 없었지만, 중대장은 나 같은 피라미 정도는 딱 보면 모두 알만 했었을 것이고, 마치 큰 형님처럼 말없이 몇 가지 아주 중요한 것들을 나도 모르게 가르친 것이었습니다. 제대할 때 병사들로부터의 저의 호칭은 "깡중쌔끼"에서 "물중위"로 바뀌어 있었습니다. 이를테면 면회 온 병사들의 외출 외박증을 가장 너그럽게 끊어주는 민간인(?) 같은 말년 소대장이었습니다.

사회생활 첫 직장은 신문사였습니다. 당시 신문사 국장의 위상은 가히 하늘처럼 느껴졌습니다. 네이티브 스피커보다도 더욱더 영어를 잘 구사하는 스마트한 젊은 국장. 그는 야간대학 출신의 입지전적인 야심가인 동시에 창의적이며 뛰어난 기획가였습니다. 남들이 걸어 다닐 때 오토바이를 끌고 출입처를 누비는 등 신문사 사주의 마음을 휘어잡아 승승장구하고 있었습니다.

그는 롯데호텔 지하에 있는 '런던 팝'으로 수습들을 집합시켜 사회생활의 기초를 가르치기도 했습니다. 예컨대 '술을 잘 먹는 법'이라던가 '옷을 잘 입는 법', '경쟁에서 이기는 법', '표 안 나게 남을 씹는 법(?)'을 비롯한 정치, 사회의 뒷이야기 등등 화제가 다양하면서도 내용이 참 깊었던 것으로 기억됩니다. 외국인 전용의 그 바에서는 당시 내국인에게는 서슬 퍼렇게 단속의 대상이었던 양담배마저도 자유스러웠습니다.

그러나 나와 수습들은 가끔 그에게서 나직한 소리로 "쇼라시끼들"이라는 국적을 알 수 없는, 막가는 듯한, 그래서 더욱더 기분 나쁜 욕을 먹었습니다. 아마도 그때 그가 주도하여 창간을 했었던 '일간스포츠' 신문이 국내 최초로 시도한 고우영의 '삼국지' 만화의 표현 때문이었을 것이지만 그는 신문사 후배를 벌레같이 혹독하게 다루었습니다. 그래서 우리 동기들은 뒷구멍에서 틈만 나면 국장을 안줏거리로 씹어대곤 했습니다.

그 신문사는 매년 말일 날 신년 호를 미리 인쇄한 뒤 종무식을 가졌습니다. 사무실에서는 얼음처럼 차가운 정종을 사발에 따라 마시는, 이른바 '냉주파티'가 전통으로 계속되고 있었습니다. 우리 방에 온 회장이 당시 가장 막내이던 내게 냉주를 따르며 국장에게 물었습니다. "이 친구가 당신을 빼어 닮았다던 친군가 ?" 국장은 순간 총명하게 대답했습니다 "오히려 왕초 어르신 젊으실 때와도 비슷하지 않은가요"

왕초의 아들인 회장은 싱긋 웃으며 제 어깨를 툭 치고, 옆에 서있던 사환 여직원에게 잔을 권한 뒤 다음 방으로 향했습니다. 왕초란 분은 신문사 창업자로, 이미 돌아가신 백상 장기영 부총리셨습니다. 나는 그때부터 비로소 신문사에서 정말 미치도록 일을 열심히 하기 시작했습니다.

국장은 자신이 운전사를 두고 타던 승용차를 내가 입사하기 전에 내 직속 사수인 차장에게 물려주었습니다. 그런데 얼마 후 국장의 배려로 그 멋진 '포니-원' 승용차가 내 소유가 되었습니다. 그래서 나는 팔십 이년에 이른바 오너 드라이버 대열에 슬그머니 합류할 수 있었던 것으로 기억합니다.

살아오면서 돌아보니 마음속으로는 화해했지만, 적극적으로 드러내지 못했던 바보스러운 후회... 힘 있는 자, 가진 자, 잘 모르는 세상 등에 대한 삐딱한 오기... 사회란 곳에는 의지와 노력만 가지고 되는 것이 그리 많지 않다는 깨달음... 소화하기 쉽지 않은 역할과 과중한 책임, 그리고 그러저러한 일들을 꾸역꾸역 수행한 대가로 던져지듯 주어지는 빵 한 조각..

이런저런 일상사 속에 시간은 천연덕스레 흘러갔습니다. 그런데 이제와 보니 제가 그때의 중대장과 국장의 당시 나이보다 훨씬 더 먹어버렸습니다. 지금도 누군가 나를 지켜보고 있을까요? 오히려 '지켜 봄'을 당하는 편이 훨씬 행복하다는 것을 이제야 느낍니다. 내색하지 아니하고 말없이 내리사랑을 가르쳤던...

이젠 가끔 그분들이 무척이나 그립습니다. 이제는 제가 누군가를 지켜보아야 할 터. 당사자들은 잘 모르지만 따듯하게 말입니다. 저는 내색하지 말아야 할 것입니다. 좀 더 노력해 보고 싶습니다... 2004년 9월 24일

[추신]

멘토와 멘티라는 관계가 있습니다. 멘토는 후배를 지도하며 후견해 주는 선배이며, 멘티는 선배의 후견을 받고 따르는 후배를 의미합니다. 그리스 신화에 나오는 오디세우스는 트로이전쟁에 나가며 아들인 텔레마코스를 친구에게 부탁했답니다. 바로 그 친구의 이름이 멘토(mentor)랍니다.

멘토는 자기 경험과 노하우 모두를 어린 후배에게 아낌없이 제공해 줍니다. 단순하게 지식이나 기술만을 주는 것이 아니라, 인생의 조언자로 인격적이며 인간적인 관계를 만들어 갑니다.

멘토와 멘티는 미래 진행형 인간관계입니다. 우리 ITQ 직원 선후배 간의 관계가 더욱 좋아졌으면 합니다. 시간이 좀 흘러서 ITQ를 그만둔 뒤에라도, 끊이지 않고 계속 교류할 수 있는 인간관계가 우리 ITQ 안에서 시나브로 이루어졌으면 하는 마음 간절합니다.

좋은 추석 행복하고 건강하게 잘 보내시길 바랍니다. 명절을 지나 건강하고 밝은 모습으로 환하게 웃으며 다시 뵈었으면 합니다.

천지 삐까리요?

정보화사업본부장 다음 보직은 대구지역본부장이었다. 전통적으로는 지방 조직에는 해당 지역 연고가 있는 직원을 발령 낸다. 그러다 보니 인사 대상 인력의 풀이 크지 않은 단점이 있다. 지방 발령이 서울에서만 생활해 온 내게는 달가울 리 없었다. 그러니 편안하게 마음을 먹고 대구행 KTX에 올랐다. 인사 명령이 나기도 전에 지역본부 인근 연립주택 4층에 숙소를 임차했다. 대구지역본부는 북구 산격동 공단지역에 있는 대구종합무역센터 엑스코 1층에 사무실이 있었다. 월요일 새벽 첫 열차편에 내려가 일을 하고 금요일 오후에 귀경하는 생활을 3년간 반복했다.

대구에 적응해 가면서 주말에도 점차 일이 늘어나기 시작했다. 서울 집에 오지 못하면 비아 씨가 금요일 오후 KTX를 타고 대구로 왔다. 동대구역에서 만나 경상도의 곳곳을 다녀오고 소문난 맛집도 들렀다. 마침 작은 동서가 남해 지족리에 농가 주택을 마련하여 그곳도 자주 찾았다. 금산 보리암, 물건리 방조제, 용문사, 독일마을, 다랭이논 등 여행과 지방 근무의 즐거움을 만끽하려 했다. 외부로 다니기 좋아하고 호기심도 많은 편이며 새로움에 대한 거부감이 별로 없어서 오히려 머리를 식히는 기분이 들었다. 다만 초기에는 독특한 사투리 때문에 거리감을 느낀 적도 있었다.

대구 비산공단의 섬유 관련 행사에서 '천지삐까리'라는 말을 들었다. 고개를 갸웃하며 의아해하니까 '쌔빌렀다'란다. 전혀 알 수 없는 말들이었다. '천지삐까리'는 '매우 많다'라는 뜻이란다. '천지'는 한자어 '天地'인데, 경상도에서는 '천지삐까리다'로도 마이 씬단(쓴다)다. 염색공단 경영자 모임에 참석한 사람들이 예상보다 많이 왔더라는 말이었다. 지역 말을 잘 이해하지 못하면 그곳 사람들의 마음속으로 들어가기 어렵다. 수를 냈다. 인터넷에서 경상도 사투리 리스트를 찾아서 몇 차례 읽어보고 암기했다. 시간이 지나니 어느 정도 익숙해지는 동시에 눈치가 생겨서 교류에 전혀 불편함이 없어졌다. 내 입에서는 어느새 아무데서나 '단디해라'라는 말이 툭툭 튀어나왔다.

대구에서도 유능한 후배들을 채용했다. 사업량도 늘리고 힘은 좀 들어도 재미있게 생활했다. 가족 같은 분위기를 만들기 위해 대마도 여행을 계획했다. 서울 본부에는 알리지 않고 금요일 아침 일찍, 전 직원이 배우자를 동반해서 부산으로 이동한 다음, 부산항 국제터미널에서 배를 타고 대마도 2박3일 여행을 떠났다. 평일 여행이 가능했던 것은 사무실 전화를 모두 핸드폰으로 돌릴 수 있었기 때문이다. 배 위에서 부산 방향을 바라보며 걸려 온 전화로 원격 업무를 처리했다.

일본 동경지부장을 지냈던 김준호 위원이 통역과 안내를 자청했다. 고급 가이드였다. 부산항에서 출국 수속 중에 함동운 위원 가족의 여권이 안 보인단다. 트렁크의 짐을 대합실 바닥에 모두 풀어 놓고 뒤진 뒤에서야 여권을 찾아 아슬아슬하게 출발하려는 배에 탑승했다. 사업 우수상을 탔던 임하욱 위원은 모두가 포식한 대마도 전복 값으로 상금을 모두 희사했다. 서광수 위원은 자녀 둘까지 동반해 즐거운 시간을 보냈다. 가족 사랑이 깊은 김영수 위원, 친절하고 마음예쁜 손지애 위원 등 아무리 시간이 흘러도 잊지 못할 그리운 얼굴들이다.

2009년 겨울에는 전 직원들이 함께 참여하는 스노보드 스쿨도 개최했다. 본부에서는 외부 수탁 교육을 위해서 통영이나 경주, 남해 등지에 외부 교육시설을 자주 임차해 사용한다. 무주리조트 역시 거래처 중 한 곳이었다. 나도 스키는 좋아했지만, 그곳에서 처음 보드를 배웠다. 흰 눈 위에서 뒹굴다 보면 고생했던 업무 스트레스는 저 멀리 사라지는 느낌이었다. 지역본부 업무추진비를 절약해서 여행 경비와 스노보드 강습비를 모두 지원했다. 연말이 되면 3년 내내 제주도 중문단지의 신라호텔에서 클라이언트 워크숍을 진행했다. 연찬회 프로그램이 끝나면 정규 일정 외에 따로 일정을 준비하여 말고기 전문 음식점을 가거나 횟집을 독채로 빌려 다른 곳에서는 만나기 어려운 대형 다금바리를 경험해 본 적도 있다. 히든 플랜의 노력은 클라이언트사의 참석자들에게 감동을 느끼게 하고 친밀도도 높아져서 사업이 순항했다.

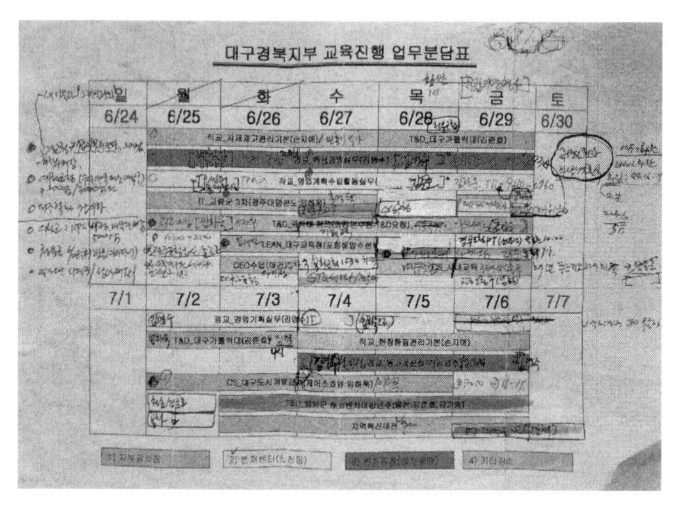

대구경북지부 교육진행 업무분담표

일	월	화	수	목	금	토
6/24	6/25	6/26	6/27	6/28	6/29	6/30
7/1	7/2	7/3	7/4	7/5	7/6	7/7

직교_현장품질관리기본(손지애)

4) 기타장소

대구지역본부에서는 일본이나 중국 등지로 기업체 CEO와 함께하는 연수가 자주 있었다. 선진 산업 벤치마킹 시찰단의 형태로 진행했다. 어느 해에는 동경, 오키나와, 삿포로 등 일본의 최남단에서 최북단 지역까지 출장을 다녀왔다. 우연하게도 세 지역마다 맥주 공장을 방문하여 일본 전역에서 생산되는 그 지방의 물로 만든 맥주를 경험했다. 삿포로에서 하늘을 나는 펭귄으로 유명한 아사히야마 동물원, 오키나와의 츄라우미 수족관 등은 가족과도 다시 가고 싶은 곳들이다.

▶2008년 3월 27일, 문경대학(강창교 학장)과 한국생산성본부(강기영 대구지역 본부장) 간 산학협정 체결식, 전문교육센터 지정식과 함께 ITQ 교육과정을 진행했다.

서울에서 대구까지 KTX를 타고 다니며 차 안에서 읽을거리를 항상 먼저 챙겼다. 가급적 눈을 붙이거나 멍하게 다니기보다는 다양한 관심 분야에 가벼운 독서를 했다. 오가는 길에 한 권을 마칠 정도 분량의 책을 활자 크기도 고려하여 미리 준비해 두었다가 차에서 읽었다. 남독이라도 책 한 권을 마치면 무언가 뿌듯하다. 금방 꺼내어 사용하는 지식이나 정보가 아니더라도, 생각하는 힘을 유지하는 데에 도움이 되었다. 『경주 최부잣집 300년 부의 비밀』 필자인 영남대학교 전진문 교수가 주관했던 ‘대구경영자독서모임’에도 김준호 위원과 함께 거의 개근했다.

대구지역본부에서도 매월 CEO 조찬 포럼을 주관하고 6개월간의 최고경영자과정을 진행했다. 5기에서 10기까지 배출한 CEO들은 물심양면으로 한국생산성본부 사업에 동참해 주었다. 자신들의 기업 생산성을 올리고 학습과 교류를 통해 미래를 준비하는 노력을 치열하게 했다. 친교보다는 학습에 주력한 본부의 CEO 과정은 경북대나 영남대 CEO 과정보다 학습의 질과 양적인 측면에서 호평 받았다. 우리 과정을 수료한 여러 인사들이 국회에 진출했다. 달서구청장을 지낸 곽대훈 국회의원, 강은희 위니텍 대표는 국회의원, 여가부장관을 거쳐 현재 대구교육감, 대구노동청장 출신 이완영 국회의원, 효림산업 대표를 지낸 한무경 현 국회의원 등 인사들이 함께 공부했다.

대구에서 일을 하며 삼익THK 그룹 진영환 회장과 영도벨벳 류병선 회장을 비롯한 여러 CEO들의 배려를 잊지 못한다. 대학 선배인 진 회장께서는 쌀통을 만들던 회사가 연마 공구인 ‘줄’을 개발하고 나아가 첨단 자동화 산업기계 제조업으로 변신하는 과정을 술잔을 기울이며 진솔하게 말씀해 주셨다. 본부와 자신은 ‘혈맹’이라고 거듭 강조하셨다. 술잔이 거듭되면 서로 팔을 엇걸고 ‘혈맹’을 외치며 취흥을 즐겼다. 또한 CEO 과정 입과 인원이 몇 명 미달하자, 자신의 회사 임원들과 계열사 대표들을 과정에 수강토록 조치해 주셨다. 여성경영자로 60년 넘게 벨벳에 집중하여 세계 1위를 지켜나가는 류 회장께서도 사업적으로나 인간적으로도 용기와 도움을 많이 주셨다. 서울에서 내려와 대구 경제를 위하고, 자신들의 기업을 위해 고생한다며 뭐든 도와주시고 자주 식사도 챙겨 주시려 했다. 또 한 분으로 경북도 기획관리실장을 지내셨던 최윤섭 고문께도 늘 감사드린다. 최 고문님을 모시고 경상북도의 시장과 군수를 대부분 접견했다. 행정가들이 바뀌면 그 지역 기업이 빠르게 발전한다. 행정과 경제와 산업 그리고 기업경영은 두루 한 몸 같은 유기체일 것이다.

대구에서는 4~5년 있을 것으로 생각했는데, 3년 만에 다시 서울로 발령이 났다. 꼭 해보고 싶었던 인적자본개발본부장이었다. 대구를 떠나기 바로 전날, 마침 그해 완공되어 개관한 영남대학교 천마아트센터에서 공연하는 장사익의 '꽃구경' 티켓을 한 장 예매했다. 나를 위한 나의 선물이었다. 가슴을 저미는 고독한 가객의 절창을 혼자 들으며 3년간 지방 생활의 만감을 정리했다. 관람을 마치고 영남대가 있는 경산에서 캄캄한 고속도로를 타고 혼자 차를 몰고 대구로 돌아오는 길은 참 신났다. 지나고 돌아보면 즐거운 나날들이었다.

다 여러분 덕분입니다

한국생산성본부 인적자본개발본부장은 산업교육을 총괄하는 역할이다. 국내 최고, 최대의 산업교육기관이지만 사업이 정체되어 있는 상황으로 진단했다. 最古가 아닌 最高를 목표했다. 우리나라 기업의 고용보험 체제가 어느 정도 안정화되었기 때문에 먼저 정부 지원 사업의 지원 형태별 장단점을 세부적으로 분석했다. 사업주 환급제도도 적절하게 운영하도록 홍보했다. '근로자 능력개발 계좌제', '근로자 능력개발카드제', '수강지원금제'의 절차를 기업에 안내하고 적절한 교육을 개설했다.

▶일본생산성본부(JPC), 아시아생산성기구(APO), 와세다대 등 방일 업무 협의

교육기획자들이 개별 접촉하던 강사 정보도 통합했다. 2000명이 넘는 강사들의 콘텐츠를 축적하고 갱신하는 프로그램을 만들어 교육을 강화하고 연말에는 '베스트 강사 워크숍'을 개최해 우수 강사를 표창했다. 강사료도 강의를 마치면 당일로 지급 처리하는 등 교육지원 행정도 수요자 중심으로 쇄신했다. 교육 부문에 관련된 위임 전결 규정을 기획부서와 협조하여 유연하게 적용했다. 과정 개발, 교육행정과 마케팅, 수강생 서비스, 강사들의 소속감 증대와 사기 진작으로 무언가 조금씩 나아지는 조짐이 보이기 시작했다.

노후화된 강의실을 층별로 단계적으로 리모델링하는 공사를 시작했다. 2천개가 넘는 교육과정을 일일이 리뷰하여 교육과정 홍보 책자를 만들고 CD 롬으로 제공하는 동시에 인터넷으로 링크했다. 출간된 책자를 본 최동규 회장께서 흡족해하시며 극찬의 말을 건네셨다. 미국에서 개최되는 ASTD에 직원들을 파견해 선진 교육과정을 탐색하고 디브리핑을 통해 다른 직원들과 공유하여 새로운 과정들을 도입했다. 가장 보람 있었던 성과는 본부 ERP 시스템을 독자적으로 개발한 프로젝트다. 사업추진 총괄 책임자로 전산실에 프로젝트팀을 구성해서 용역사로 ㈜영림원을 선정해 ERP 개발을 진행했다. 기획실에서도 개발 예산 편성과 집행에 적극적이었다. 김익균 본부장이 함께 고생하며 잘 리드해서 구축과 동시에 가동했다.

KPC는 매 3~5년 주기로 대규모 교육인프라 리모델링을 하도록 제도화했다. 내가 없어도 매년 한 층씩 계속 리모델링해 나가기로 정했다. 수강생 설문과 교육 기획자들의 브레인스토밍을 통해 의자, 책상, 전자교탁, 무료 벤딩 머신 등의 사양을 합의하고 슬라이딩 화이트보드를 설치했다. 직원들을 인솔해서 강의장 리모델링 아이디어를 얻기 위해 일본의 기업연수원들을 방문한 적이 있다. 바닷가에 있는 한 연수원에 들렀더니 모든 강의장에 의자계의 샤넬이라는 허먼밀러 의자가 놓여있었다. 심지어 휴게실 의자에는 30만 원쯤인 헤드레스트를 모두 달아 놓았다. 충격이었다. 그때 한국 돈으로 그 의자 한 개당 가격이 이백만 원이 훌쩍 넘었다. '인간 존중의 학습공간 만들기'가 그저 선의이거나 직원들에 대한 애정만으로 되는 것은 아니라는 걸 깨달았다.

귀국해서 교육기자재 구매 시 정부조달에 넘기지 않고 세부 사양을 아주 세밀하게 정하고, 감사 회피 논리를 만들어가는 TFT 구성해서 직접 구매하기 시작했다. 정부 조달은 무조건 가장 후진 기자재를 가장 싸게만 구입해 주니까. 우리나라에도 허먼 밀러를 평직원들에게 사주는 회사가 늘어나고 있다. 제일기획, 네이버, 몇몇 IT기업들. 직원들이 뿌듯해하고, 워런티도 12년이라 보통 의자를 몇 번 바꿔주는 것과도 비교해 볼 수 있겠다.

가끔 직원들이 찾아와 고충을 이야기하면 경청하려 노력했다. 전공 분야 박사과정을 지원하는 직원들에게는 부서장들과 상의하여 수업 출석 편의를 제공해 주었다. 서수석 위원, 김동산 팀장, 박수현 위원 등이 박사 학위에 도전해 성취했다. 2012년 말 인적자본개발본부 매출액은 경영교육부가 84.5억 원, 직무교육부가 86.6억 원, 이러닝사업부가 41억

원으로 총 212억 원을 달성했다.

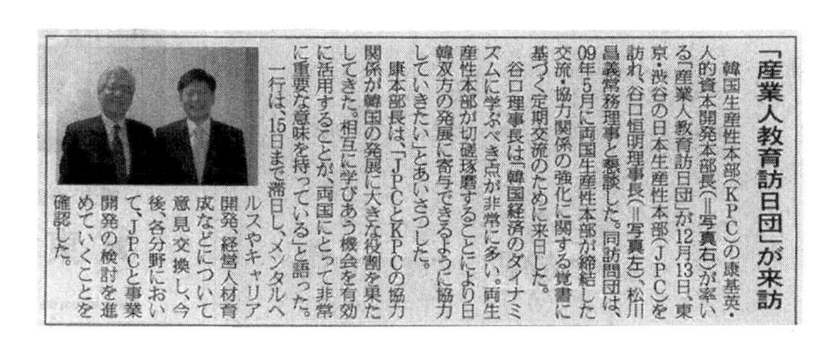

「産業人教育訪日団」が来訪

韓国生産性本部（KPC）の康基英・人的資本開発本部長（＝写真右）が率いる「産業人教育訪日団」が12月13日、東京・渋谷の日本生産性本部（JPC）を訪れ、谷口恒明理事長（＝写真左）、松川昌義常務理事と懇談した。同訪問団は、09年5月に両国生産性本部が締結した交流・協力関係の強化に関する覚書に基づく定期交流のために来日した。

谷口理事長は「韓国経済のダイナミズムに学ぶべき点が非常に多い。両生産性本部が切磋琢磨することにより日韓双方の発展に寄与できるように協力していきたい」とあいさつした。

康本部長は、「JPCとKPCの協力関係が韓国の発展に大きな役割を果たしてきた。相互に学びあう機会を有効に活用することが、両国にとって非常に重要な意味を持っている」と語った。

一行は、15日まで滞日し、メンタルヘルスやキャリア開発、経営人材育成などについて意見交換し、今後、各分野において、JPCと事業開発の検討を進めていくことを確認した。

2012년 여름 고용노동부에서 연락이 왔다. 9월에 직업능력 개발의 달 행사에 대통령 표창이 기관과 개인이 중복 상신되어서 곤란하다는 내용이었다. 그렇다면 내가 양보할테니 개인 표창을 한 단계 내려달라는 의견을 전했다. 결국 행사 당일 고용노동부 이채필 장관에게 기관 표창으로 대통령상을 수상하고 잠시 후 다시 시상대로 올라가 개인 표창으로 김황식 국무총리 상을 받았다. 전혀 기대하지 않았던 표창이었고 아쉬움도 있지만 그래도 진정성 있는 노력이 다소나마 인정받은 사실에 감사했다. 또한 함께 일을 했던 최태영 부장, 이기영 부장, 김찬희 센터장, 손경모 팀장에게도 진심으로 고마웠다. 부서장들을 모아서 진하게 한 잔 샀다. 술 취해서 혀 꼬부라진 소리로 내가 말했다.

"다 여러분 덕분입니다."

▶이채필 고용노동부 장관으로부터 국무총리 표창을 받고 있다. 2012. 9. 3.

그런데 거기까지였다. 그 해말 본부 진흥 회장이 교체되며 인사이동이 이루어졌다. 후임 회장은 자신의 이해대로 인사하기를 강하게 원했다. 정년까지는 1년 반쯤 남기고 있었고, 그런 상황에서 자리를 고집할 수도 있었지만 구차하고 민망했다. 권태식 부회장과 면담 자리에서 나는 용퇴를 수용했다. 자회사 두 군데 대표이사 자리가 비워지며 큰 폭의 인사가 단행되었다. 본부장의 퇴진은 후배들의 연이은 줄 승진 인사의 디딤돌이 되었다. 사업본부 최고 매출 달성, 대통령 표창 등 최고의 성과에 연연하지 않고 마무리 할 수 있다는 게 행운이라 생각하기로 했다. '박수 칠 때 떠나라'지만 진심으로 박수 친 후배가 있었는지는 모를 노릇이다. 회사의 정년을 고집하는 것보다는 또 다른 새로운 도전이 오히려 가슴 설레며 즐거운 일이라고 마음먹었다.

소송은 늪

2013년 1월, ㈜한국생산성본부 사회능력개발원의 대표이사이자 원장으로 취임했다. 회사의 전신은 한국기업상담(주)로 1987년 생산성본부 박필수 회장이 중소기업의 창업 촉진과 경영지도를 위한 별도법인체로 설립했다. 정부의 중소기업창업지원법에 따리 설립된 기업상담은 창업전이나 초기 경영단계의 기업가, 중소기업을 대상으로 경영컨설팅, 창업투자회사와 금융기관의 자금 알선에 주력했다.

경제 환경이 변화하며 회사는 법인명을 시류에 적합하게 바꾸고, 사업부문을 조정해 운영하고 있었다. 당시에는 부동산 공개교육, 이러닝, 인재채용 용역 등 사업을 전개하고 있었다. 우연하게도 이사회에서 대표 선임의 긍정적인 이유 중의 하나가, 내정자인 내가 주요 3가지 사업영역에 대한 직간접적인 경험이 많다는 점이 유리하게 작용했단다.

외부에서 알고 있던 바와는 달리 사능원은 여러 가지 난관에 부닥쳐 있었다. 가장 큰 문제는 인적자본이 부실했다. 모기업인 생산성본부와 비교하여 경험, 역량, 임금 수준 등이 매우 낮았다. 전임 원장이 터무니없이 채용했던 탈북동포 출신 여직원과 다른 직원 간의 갈등도 있었다. 회계를 담당하는 여직원의 역량이 우리 회사에는 현저하게 미흡했다. 부정이 적발되어 면직 처리된 직원의 복직 요구 소송도 진행 중이었다. 법률관련 내용을 살펴보니 4건의 소송이 동시에 진행되고 있었다. 다급한 것부터 해결해야 했다. 강재서 부원장이 적극적으로 노력하여 경기고등학교 동문인 유능한 변호사들을 건별로 계약하여 소송에 디테일하게 대응해 나갔다.

전임 원장들의 미지급 금액 지급 요청도 소액이지만 합리적인 기준을 정하고 기준에 따라 내부 정리가 완료될 때 까지 유예했다. 전임 원장

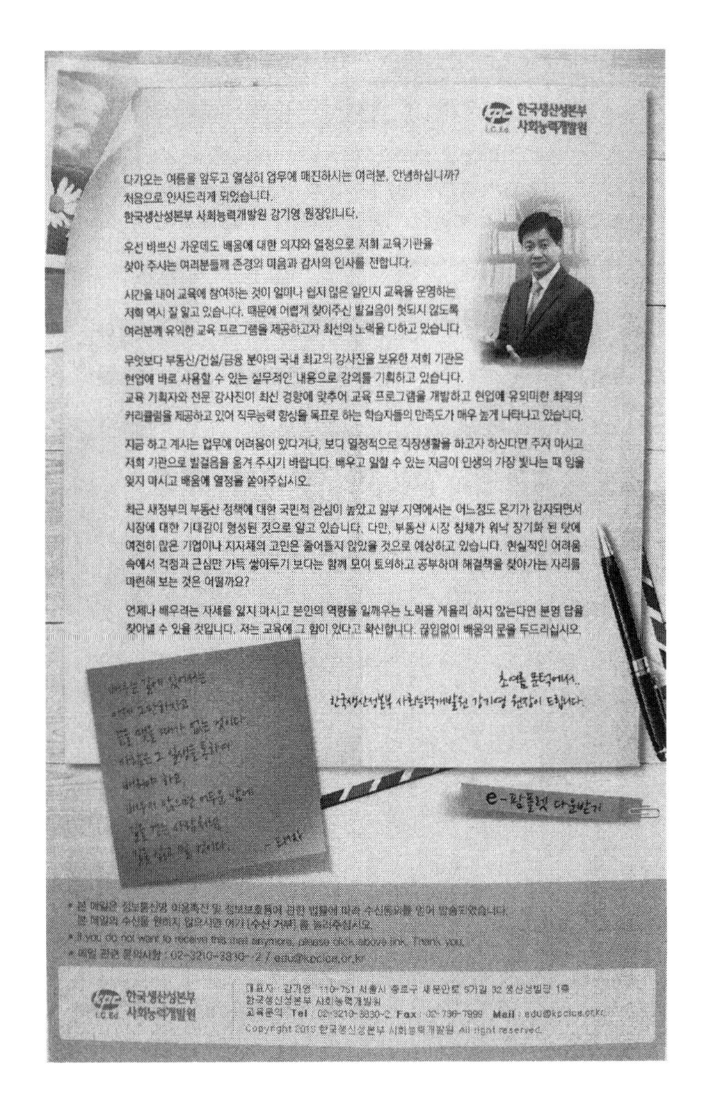
한국생산성본부
사회능력개발원

다가오는 여름을 앞두고 열심히 업무에 매진하시는 여러분, 안녕하십니까?
처음으로 인사드리게 되었습니다.
한국생산성본부 사회능력개발원 강기영 원장입니다.

우선 바쁘신 가운데도 배움에 대한 의지와 열정으로 저희 교육기관을
찾아 주시는 여러분들께 존경의 마음과 감사의 인사를 전합니다.

시간을 내어 교육에 참여하는 것이 얼마나 쉽지 않은 일인지 교육을 운영하는
저희 역시 잘 알고 있습니다. 때문에 어렵게 찾아주신 발걸음이 헛되지 않도록
여러분께 유익한 교육 프로그램을 제공하고자 최선의 노력을 다하고 있습니다.

무엇보다 부동산/건설/금융 분야의 국내 최고의 강사진을 보유한 저희 기관은
현업에 바로 사용할 수 있는 실무적인 내용으로 강의를 기획하고 있습니다.
교육 기획자와 전문 강사진이 최신 경향에 맞추어 교육 프로그램을 개발하고 현업에 유의미한 최적의
커리큘럼을 제공하고 있어 직무능력 향상을 목표로 하는 학습자들의 만족도가 매우 높게 나타나고 있습니다.

지금 하고 계시는 업무에 어려움이 있다거나, 보다 열정적으로 직장생활을 하고자 하신다면 주저 마시고
저희 기관으로 발걸음을 옮겨 주시기 바랍니다. 배우고 일할 수 있는 지금이 인생의 가장 빛나는 때 임을
잊지 마시고 배움에 열정을 쏟아주십시오.

최근 새정부의 부동산 정책에 대한 국민적 관심이 높았고 일부 지역에서는 어느정도 온기가 감지되면서
시장에 대한 기대감이 형성된 것으로 알고 있습니다. 다만, 부동산 시장 침체가 워낙 장기화 된 탓에
여전히 많은 기업이나 지자체의 고민은 줄어들지 않았을 것으로 예상하고 있습니다. 현실적인 어려움
속에서 걱정과 근심만 가득 쌓아두기 보다는 함께 모여 토의하고 공부하며 해결책을 찾아가는 자리를
마련해 보는 것은 어떨까요?

언제나 배우려는 자세를 잃지 마시고 본인의 역량을 일깨우는 노력을 게을리 하지 않는다면 분명 답을
찾아낼 수 있을 것입니다. 저는 교육에 그 힘이 있다고 확신합니다. 끊임없이 배움의 문을 두드리십시오.

초여름 문턱에서..
한국생산성본부 사회능력개발원 강기영 원장이 드립니다.

의 무리한 일방적 요구는 단칼에 커트했다. 전 전임 원장의 청구 금액은 사건을 해결한 뒤 6백만 원을 지급했다. 왜 기간 이자는 안 주느냐는 투덜거림과 함께 고맙다는 인사를 전해 들었다.

여의도에 있던 '탈북민 취업 지원센터'를 방문해서 탈북 동포 여직원에 대한 고민을 상담했다. 그녀의 스펙에 적당한 다른 직장에 취업할 수 있도록 조치해서 무난하게 퇴직을 처리했다. 역량이 심각하게 미달하는 사람을 천거하고 탈북 동포를 돕는다는 감상적인 관점에서 채용한 전임자의 실책은 뼈아픈 것이었다. 연민이나 동정이 오히려 당사자에게 현실을 냉정하게 보지 못하고 일을 그르치게도 한다. 또 한 직원은 알고 보니, 나의 탈춤반 후배인 인하대 이규성 교수의 제자였다. 팔은 안으로 굽는다던가. 여러 차례 적절한 직무를 바꾸어 퇴임할 때까지 자리를 지키도록 관심 가졌다. 함께 문제를 정리해 나가던 최승학 실장이 갑자기 쓰러졌다. 월요일 새벽 2시경에 혈전이 뇌의 혈관을 막아 부천 성가병원에서 응급 수술에 들어갔다. 결국 복직하지 못한 채 회사를 떠나야 했다. 그는 가끔 소식을 전해온다. 건강하기를 빈다.

안타까움도 잠시뿐, 과도하게 투자했지만, 수익성이 낮게 분석된 청소년 지도사 온라인 교육 콘텐츠를 정리해야만 했다. 학점은행제를 활용한 이러닝 과정이었지만, 마케팅이나 과정 운영 능력 측면에서 사능원이 감당하기는 어려운 사업이었다. 그냥 안고 간다면 물먹는 하마였다. 매각하여 사업 정리를 결심했다. 외부 매각이 지지부진하자 생산성본부에서 구원의 손길을 내밀었다. 권태식 부회장이 적극적으로 나서서 본부 이러닝사업부로 컨텐츠를 이관했다. 내가 천거하여 본부장으로 성장시킨 후배에게 협조를 요청해야 하는 상황이 생겼다. 두 사람은 흔쾌히 이관에 동의하고 제작비 일부를 보전해 주는 도움을 주었다. 후배들을 위해 내가 용퇴한 빚을 드디어 갚는다고 웃으며 강조했다.

▶한국생산성본부 사회능력개발원(KPC사능원, 원장 강기영)과 광명시 평생학습소(소장 민창근)와 학점은행제 교육과정에 대한 업무협약 체결 2013.5.10.

▶한국사회능력개발원(원장 강기영)과 (재)한국여성과학기술인지원센터(소장 이혜숙)간 업무협약 체결 2014.5.21

복직 요구 소송도 부침을 거듭했다. 사능원은 1심에서 패소했다. 2억 이상의 미지급 임금을 지급하고 당장 복직을 허가해야 하는 판결이었다. 사능원 직원들은 충격을 받았다. 업무상 배임으로 처벌을 받은 자와는 함께 근무할 수 없다는 반응이었다. 즉각 항소하고 변호사와 전략을 재협의하여 논리를 다시 만들고 2심을 준비했다. 결국 최종심에서 사능원이 바라던 바를 이뤄낼 수 있었다. 수많은 증인과 면담 후 녹취, 확인서 작성 등 자료 보강과 함께 실력 있는 변호사와 긴밀한 협조가 소송 승리의 해답이었다.

일부 저성과자들의 반란도 있었다. 인원이 많지 않은 조직에서 C레벨 직원들이 단합하면 조직의 건강성을 해친다. 교묘한 태업 수준에서 나아가 사능원 노조를 결성한 다음 아주 사소한 절차 미비를 끄집어내서 과장했다. 내부에서 소화해야 하는 일을 외부로 확대하여 지방노동위원회나 중앙노동위원회로 문제를 제기하고 회사와 경영자를 협박하는 수준까지 나아갔다.

민주노총이 처음 결성되던 초기 조합원이었던 나는 화이트컬러 노조 활동, 전교조, 한겨레신문 등에 긍정적인 시각을 갖고 있었다. 하지만 노동 법정에서 일방적으로 근로자 측에 우호적인 판단을 내리는 시류를 경험하면서, 노동계의 일방적이며 피해의식을 조장하는 시각과 정치 편향성을 경계하게 되었다. 하지만 나는 그들에게 불리한 처분이나 보복적 조치를 하지는 않았다. 연민의 마음으로 지켜볼 따름이었다.

더 큰 사건이 터졌다. 시커먼 파카를 걸친 덩치가 큰 사내 둘이 원장실 문을 노크했다. 막 아침 팀장 회의를 마친 다음이었다. 약속도 없이 들이닥친 방문객은 나름대로 예의를 차린다며 회의하는 중이어서 문밖에서 끝나기를 기다렸다는 것이다. 압수수색영장을 불쑥 내밀었다. 충청북도경찰청의 형사들이었다. 퇴사한 지 6개월도 지난 엄모 직원이 입사시험 문제를 조직적으로 빼내서 팔아먹었다는 내용이었다. 경위를 파악한 다음 전 직원을 모아 간단하게 대응 요령을 전달하고 압수수색에 협조했다. TV에서 많이 보았던 딱 그대로였다. 사무실과 PC를 뒤지던 형사들은 점심시간이 좀 지나서야 철수했다. 직원들은 동요했다. 회의실에 모아서 경과를 설명하고 심리적 안정을 시키려고 노력했다. 직원들은 경영진과 단합했지만 노조는 철이 없었다.

본부 회장은 나를 몰아붙이기 시작했다. 그의 입장을 이해했고, 긍정적으로 생각하려 노력했다. ITQ로 다져진 나는 시험 운영과 검정실무의 '달인'이라고 자부해왔다. 그렇지만 회장의 구미에 맞는 재발 방지책을 순식간에 만들어내야만 했다. 이중 잠금장치를 보강하고 감시카메라를 추가 설치했다. 출입카드 체커도 설치했다. 핸드폰으로 접속하면 항상 사능원 출입구와 문제지 보관소, 문제지를 담당하는 직원의 모니터를 정면에서 감시할 수 있는 원격시스템을 설치했다. 동작 감지기도 달았다. 아울러 직원들에게 강도 높은 재교육 프로그램을 마련했다. 며칠간 날밤을 새웠다. 진 회장은 만족했다. 내가 성의를 다해 보완 조치한 것은, 까딱했으면 사능원이 폐업할 수도 있었던 위기 순간이었기 때문이다.

한 달쯤 지난 뒤 충북도경에서 연락이 왔다. 강재서 부원장과 함께 출석했다. 그간 자료도 충실하게 백업해 제출했다. 중간에 전화 통화를 통해 사능원의 무관한 입장을 충분하게 전달했었다. 조사가 충분하게 진행된 듯 형사들이 오히려 우리를 안심시키고 여기까지 내려오시게 해 미안하다 했다. 사능원의 명예가 손상되거나 피해를 보지는 않을 것이라며 출석에 고마워했다. 개인적 단순 비리로 결론이 났다. 구속된 엄모는 실형을 받았다. 사족 하나, 사능원으로 압수수색을 나오며 충북도경은 신이 났단다. 생산성본부라는 대어 한 마리를 낚는다는 커다란 기대감이 있었단다. 그래서 생산성본부 건물 전체를 압색하려고 인원을 차출하며 버스 두 대를 준비했단다. 그러나 조서를 자세히 검토하니 규모가 작은 사능원이었고, 그래서 김이 좀 샌 채 압색을 왔다는 거였다. 인간사는 슬픈 일에도 항상 약간의 유머는 저변에 깔려있는가 보다.

한국인 최초, 동아시아 최초 로마 바티칸 변호사인 한동일 박사의 『라틴어 수업』에는 무엇이든 어려울 때는 '혹 쿠오케 트란시비트!'(Hoc quoque transsibit!)를 말해보라 한다. 솔로몬 왕자가 알려줘서, 다윗왕의 반지 안쪽에 새겼다는 글귀인 '이 또한 지나가리라!'. 그러면서 한 박사는 아침에 일어나 세수하면서 거울 속의 자신을 향해 웃으라는 숙제를 준다. 자신을 위로하고 격려해 가며 지나가는 것들에 매이지 말고 내일을 보라는 의미다. 며칠 따라 하다가 습관으로 만들지 못하고 작심삼일처럼 되었다. 하지만 가끔 어려운 순간에는 '혹 쿠오케 트란시비트!'.

소송의 늪에서, 길 없는 길을 만들어낸 동반자 강재서 부원장 그의 헌신으로 여러 소송 건을 함께 정리할 수 있었다. 황영우 본부장, 김영욱 팀장, 손일훈 팀장 등 여러 직원의 노고에 대하여 늘 미안하면서도 감사한 마음이다.

사능원 시절에도 회사 특성에 맞는 여러 가지 새로운 일을 시도했다. 선발면접어세서(Selection Interview Assessor) 양성과정 개발과 국내에서는 처음으로 인사 선발 서비스 부문 ISO9001 인증을 획득했다. 지방이전 대상 공공기관의 인사담당자, 관리자 및 임원을 대상으로 "공공기관 지방이전에 따른 인사전략 세미나" 개최, 명지대학교 청소년활동연구소(소장 권일남)와 청소년학 교육과정 개발 및 상호 교류를 위한 산학협약 체결, 해외부동산연수 프로그램으로 말레이시아 쿠알라룸푸르편 개설 등 외부 확장과 내실을 다지는 경영을 전개했다. 퇴임하며 강 부원장을 원장에 선임토록 이사회와 본부 경영진에게 적극 추천했다. 이젠 당시 노조를 만들고 보신을 일삼던 직원들에게도 진심으로 행운을 기원한다.

사능원 임기를 마칠 즈음, 어느 날 편두통이 생기기 시작했다. 일을 약간 줄이고 휴식을 늘였으나 점점 심해진 두통은 진통제로는 감당되지 않았다. 세브란스병원에서 MRI 검사를 하고 진료를 받았으나 속 시원한 대답을 들을 수 없었다. 병원에서 처방해 준 약을 복용했더니 증세가 좀 개선되었다. 아울러 이제 떠날 때가 왔다고 생각하며 마음을 가볍게 먹기 시작했다. 증세는 점차 소멸하였다. 눈에 벌레가 나르는듯한 비문증도 다녀갔다. 강북삼성병원에서 동공을 키우고 레이저를 사용하여 망

막에 손상된 부위를 메꾸는 치료를 두차례 했다.

사능원을 떠나오며 그 곳 원장실에도 추사의 '세한도'를 그대로 걸어놓고 왔다. 혼자 쓰는 사무실을 갖게 된 이후, 떠나올 때마다, 방을 물려받는 후임에게 벽에 걸어놓았던 세한도를 선물로 전하곤 했다. 인사동 화봉책박물관이나 제주도 대정에 있는 추사적거지에서 세한도 영인본을 사서 표구점에 맡겨 새로운 사무실 벽에 걸곤 했다. 세한도의 의미를 이해하여 가끔 바라보던 이들도 있었을 것이고, 내 모습이 사라지자마자 치워버린 이도 있었을 것이다. "歲寒然後 知松柏之後彫也" '날이 차가워진 연후에 솔과 잣이 나중에 시듬을 안다.' 누가 뭐래도 내게는 참 고마운 글귀다.

사능원 시절, 드디어 비아 씨와 첫 해외여행을 다녀올 수 있었다. 내게도 또 아내에게도 상을 주어야만 했다. 직장에서 일을 하며 관리자로 역할하기 시작한 뒤 처음으로 온전한 일주일 휴가를 사용했다. 휴가 앞뒤로 휴일을 한꺼번에 몰아 써서 (주)KRT의 서유럽 4개국 10일 패키지 여행권을 구입했다.

프랑스, 스위스를 거쳐서 이탈리아를 여행하고 마지막 일정이 영국이었다. 이탈리아에서는 피렌체 방문 상품을 골랐다. 속셈이 있었다. 오랫동안 마음속으로 간절하게 원하던 르네상스의 발원지, 피렌체 체류의 사전답사였다. 총괄 가이드인 문 과장과 이탈리아 현지 가이드에게 부탁해서 코스에 없던 미켈란젤로 언덕까지 올라갔다. 큰 일정이 허용하는 범위 안에서 재량을 보여준 가이드들에게 감사했다. 여행을 하며 피렌체 일 년 살기의 꿈을 굳혔다.

▶프랑스 파리 몽마르뜨 언덕에서 2013.9.

공룡능선의 땀방울

2014년 여름, 앞서 근무했던 생산성본부 등산동우회 서수석 총무가 방으로 찾아왔다. 설악산 등산을 계획하는데 함께 하자는 권유였다. 오색약수 쪽에서 등반을 시작하여 중청봉을 경유하는 팀과 공룡능선을 종주하는 팀으로 나누어 산행 후 돌아온다고 했다. 지회사로 자리를 옮기니 자연스럽게 산에 가는 기회가 줄어들었다. 게다가 마침 체력도 점차 떨어지는 느낌도 들었다. 전직 회장 자격으로 흔쾌히 동행을 결정했다.

등산 동우회에서 전직 회장 이임 선물로 워터쉽(Watership) 사파리 햇을 전달받았다. 방수를 위해 왁스를 발라가며 착용하는 웨스턴 스타일의 아웃도어 모자다. 미국 원산지로 1916년부터 만들어온 브랜드가 경영난으로 폐업하자 중국에서 제조시설을 넘겨받아 만든 왁스 사파리 햇이다. 후임 회장이 어렵게 구했다는 너스레와 회원들의 박수 속에서 모자를 눌러써 보였다. 캔버스용 왁스 한 통도 챙겨 받았다.

양재에서 출발하는 버스를 금요일 밤 열 시에 광화문 생산성본부 앞으로 불러서 탑승해 출발했다. 일부 직원은 양재에서 합류했다. 밤새 달린 버스는 새벽에 산 아래에 도착해서 우리를 내려놓았다. 어설픈 잠에서 깨어나 해장국을 한 그릇씩 뚝딱 비우고 어둠 속 산행을 시작했다.

대부분 회원은 중청봉을 거쳐 하산하는 길을 선택했다. 공룡능선을 선택하기로 했던 몇 회원들도 갑자기 코스를 변경했다. 하지만 나는 애초 계획대로 공룡능선으로 발걸음을 옮겼다. 홀로 가는 길은 초반부터 힘이 부쳤다. 눈앞에 마주한 공룡능선은 이름 그대로 거대한 파충류의 등 지느러미를 밟고 가는 느낌이었다. 혼자 걷는 외로움도 느꼈다. 생수는 다 마셔버리고, 다리는 풀리고 목적지는 까마득했다. 카메라도 배낭도 던져버리고 싶은 생각이 굴뚝같았다. 군 생활 중 경험한 백 리 행군이나 세 번 완주한 마라톤 풀코스보다 훨씬 힘든 산길이었다.

산속에서 한나절을 보냈다. 합류지인 주차장에 한 시간 넘게 지체해서야 도착할 수 있었다. 직원들은 이른 저녁을 벌써 마치고 막걸리에 붉어진 얼굴로 삼삼오오 담배를 피워 물고 담소하며 나를 기다리고 있었다. 땀에 절고 절룩거리며 다가가자, 환호와 박수가 터졌다. 허겁지겁 속을 채우고 출발하는 버스에 올라탔다. 돌아오는 버스 속에서는 정신없이 곯아떨어졌다.

돌아보니 무모했다. 평소 공룡능선을 다녀오고 싶은 욕심에 별다른 준비도 하지 않고 코스를 가볍게 본 점이 미욱했다. 워낙 산행객들이 많아서 안전의 문제는 크지 않으나, 혼자 단독 코스를 선택한 것이 패착이었다. 부실하게 챙겨간 김밥 점심과 무거운 카메라도 복병이었다. 무엇보다도 시간차가 큰 코스로 조합하여 계획하다 보니 공룡능선 등반 시간을 너무 촉박하게 산정해서, 하산 길에서는 거의 달려가듯 내려와야만 시간이 얼추 근접한 상황이 되었다.

서울에 도착해서 집으로 가는 길. 아내와 딸이 대흥 전철역으로 마중 나왔다. 에스컬레이터를 타고 올라와 계단을 오르려니 다리가 완전히 풀려버렸다. 손으로 다리를 들어 올리다시피 해서 지하철역 계단을 오른다. 배낭을 받아 든 아내와 딸은 깔깔거리다가도 근심스런 표정을 교대로 짓는다. 멋진 워터쉽을 눌러썼지만 온몸은 너덜너덜한 상태였다.

우리나라 명산의 사계절을 강렬하게 그린 박고석 화백의 그림 『공룡능선』 앞에 서면 장엄한 설악산이 온 가슴으로 그냥 쏟아져 들어온다. 살아가는 동안 앞으로 그렇게 땀방울을 흘리며, 혼자서 공룡능선을 말없이 등반할 기회가 또 있을까?

▶박고석 『공룡능선』 1978

도처에 꽃은 피어나고

마음 담는 사진

어린 시절 집안에 낡은 카메라 한 대가 굴러다녔다. 옷장 서랍 어딘가에 권총 한 자루도 헝겊에 쌓여 꼭꼭 숨겨져 있었다. 총알 몇 개와 함께. 다른 형제들은 알지 못했지만, 아무도 없을 때 가끔 그 권총을 뒤져내서 자세하게 관찰하고 만지작거리고 놀았다. 한 쪽 눈을 질끈 감고, 묵직한 총 손잡이를 두 손으로 움켜쥔 채 어딘가를 겨냥해 보았다. 가슴이 두근대며 흥분되었다.

좀 지나서 내가 권총을 만졌다는 소리가 아버지에게 들어갔다. 아버지는 그 권총을 소사경찰서에 반납해 버렸다. 내게는 아무런 질책도 하지 않았다. 야단맞을까 눈치를 보던 나는 의아하면서도 없어진 권총이 서운했다. 내가 자라서 보니, 숨겨진 권총은 아버지의 고향에 대한 그리움이었을 것으로 추측했다. 언젠가 북에 두고 왔던 유년의 고향으로 돌아갈 때까지 자신과 아내와 나를 포함한 가족을 잘 건사하기 위한 보호 수단 가운데 하나가 아니었을까 생각한다.

카메라는 숨겨놓은 권총처럼 금기의 물건은 아니었다. 코니카 카메라는 내 장난감이었다. 올림퍼스 하프 사이즈 카메라가 필름 한 통으로 2배의 사진 촬영이 가능해 인기였던 중학 시절, 코니카 카메라로 사진을 배웠다. 현대컬러 사진 교실, 서울사진학원, 상상마당의 흑백사진 과정을 다녔다. 1984년 서울예술전문대학에서 개설한 고등학교 사진반 지도교사 연수 과정도 이수했다. 이제 세계적인 작가가 된 배병우 교수와 육명심 교수가 직접 남산에 올라가 촬영을 지도했다. 홍대 미대를 나와 사진을 한다는 배 교수는 털털한 동네 형 같은 느낌이 들었지만, 후일 제자를 성추행했다는 일로 사죄한 적도 있었다.

'동랑 사진 아카데미'를 마치고, 남대문에서 거금을 주고 일제 후지모토 확대기를 샀다. 집에 암실을 마련해서 흑백 필름 현상과 인화에 빠져들었다. 어둠 속 빨간 암실 등 불빛 속에 사진 화상이 불현듯 떠오르는 재미에 날 새는 줄 몰랐다. 조경이 바빠지며 손을 놓게 되었다. 1985년 여름, 희망조경 사무실에 도둑이 들었다. 그즈음 장만한 신형 아사히 펜탁스 카메라를 도난당했다. 울화가 치밀었다. 곧 니콘 FM2를 샀다. 아직도 그 필름 카메라를 가지고 있다. 25만 원쯤 주고 샀는데 지금 중고가 45만 원이 나간단다. 퇴직 후에는 비아 씨가 캐논 EOS 마크Ⅱ를 희사해 주었다. 24~105밀리 줌렌즈를 장착해 셔터를 누르니 천하를 딱 반쯤 가진 기분이었다. 이탈리아 체류 시에도 껴안고 다녔고, 공룡능선에 메고 갔다가 버리고 오고 싶은 충동을 느꼈던 바로 그 물건이다. 그 카메라로 아버지와의 추억도 메모리 했다.

운동은 구기에 좀 약하지만 어떤 종목이든지 잡으면 열심히 했다. 골프를 배웠다. 골프 기초 초기에 갈비뼈에 실금이 갔다. 몸통 턴을 너무 열심히 반복한 결과 숨도 못 쉴 정도로 고생했다. 골퍼라면 누구나 파 3 홀에서 7번 아이언으로 홀인원 하는 꿈을 꾼다. 내게는 그런 행운은 없었다. 수영을 하다가 모노핀을 오래 했다. 안국동 현대본사 수영장에서 옆에 있는 풀에서 수영하는 정주영 회장을 본 적도 있다. 새벽 풀에 들어가기는 귀찮지만, 모노핀을 발에 끼우면 물속의 샤크처럼 날래게 유영하고 싶어진다. 등산과 스키는 생산성본부 동호회 회장을 지냈다.

검도나 국궁도 즐겼다. 검도하다가 무릎 관절이 말썽을 부리며 국궁으로 전환했다. 비아 씨와 강습을 받으며 시작한 국궁은 주로 황학정에서 활을 냈다. 화살 다섯 대를 연이어 모두 과녁에 맞혀야 접장 칭호를 얻는다. 동트는 붉은 하늘을 바라보며 화살을 날리면 145미터 떨어진 과녁에 관중 한다. 붉은 등이 번쩍 들어오면 엔도르핀이 확 돈다. 팽팽하게 시위를 당겨서 깍지 손을 놓아버리는 활쏘기는 묘미가 있다. 접장이 되고 새벽 국궁에 재미를 붙였지만 코로나 때문에 활을 놓았다.

나는 상업용 에스프레소 커피머신으로 에스프레소 커피를 추출한다. 커피를 가늘게 갈아서 포터 필터에 잘 담은 뒤 정성을 다해 레벨링, 탬핑을 한다. 버튼을 누르고 커피머신의 스파웃 끝을 찬찬히 응시한다. 그리곤 툭 떨어져 내리는 검은 커피 물줄기를 바라보며 "안녕 커피야"라고 반긴다.

카메라 셔터를 누르는 샷, 권총의 격발, 골프의 샷, 활의 발시, 모노핀의 킥, 에스프레소 머신의 추출 샷, 이 모든 것들은 어딘가 모르게 닮아 있다. 인간이 무엇을 향해 쏘는 행위에는 지극히 절제된 마음을 담아야 한다. 병자호란을 다룬 영화 『최종병기 활』의 명대사로 각색된 원전인, 정진명의 『한국의 활쏘기』에 언급된 "활은 바람을 타고 쏘는 것이 아니다. 극복해서 쏘는 것이다." 극복할 마음이 우선이고 그 마음에는 또 마음을 담아야만 한다.

사진은 순간의 예술이라 한다. 찰나의 순간을 포착하는 집중과 인내가 필요하다. 사진을 찍으며 프랑스 작가 앙리 카르티에 브레송(Henri Cartier-Bresson)의 사진전에서 '결정적 순간'을 배우고 롤랑 바르트의 『밝은 방』을 읽었다. 몇 차례 사진 전시회도 치르고 짧은 사진 강의도 나갔다.

50플러스 재단에서 사진 동호회를 만들었다. 중앙일보 사진국장을 지낸 주기중 작가가 열심히 이끌어 주었다. 동호회 명칭으로 '마음 담는 사진'을 제안했으나 기각되었다. 줄이면 '마담사'가 되니 어감이 불길하단다. 결국 '마음' 대신 '시간'으로 바꿨다. '시간을 담는 사진 즉 '시담사' 라는 동호회 이름으로 활동했다. 마음이나 시간이나 매한가지 아닌가 싶다.

추구하거나 목표하거나 겨냥하는 무엇이든지 일생을 샷 하는 마음으로 가다듬으며 집중해 살고 싶다.

오이디푸스 콤플렉스

그리스와 로마 신화는 터무니없다고 말하는 사람들도 있지만, 인류에게 영원한 영감을 주는 상상의 보고다. 어릴 적 만화로 접했던 신화를 성장해서 다시 읽게 되었다. 하버드대학교 출신의 은행가이자 저술가인 토머스 불핀치가 쓴 『그리스와 로마 신화』 번역본이었다. 1995년 오늘의 책에서 출간한 손명현 번역본은 본문이 503페이지, 41장이다. 활자로만 기록된 신화는 뜬구름 잡는 느낌이었다.

그러다가 이윤기의 『이윤기, 그리스에 길을 묻다』, 『이윤기가 건너는 강』을 읽었다. 내친김에 2000년부터 1권을 집필하기 시작하여 2010년에서야 5편을 완간한 『이윤기의 그리스 로마 신화』 전집을 샀다. 그림, 조각, 건축 등 풍부한 사진과 도판이 생동감을 주는 책이다.

그리스 로마 신화를 읽다가 아들과의 관계를 성찰했다. 유교적 문화 속에서 자라난 우리 세대는 딸보다 아들과 소통이 특히 서투르다. 아들이

어릴 때는 올바른 성장을 위한다는 소견에 권위적으로 엄하게 키우려 했다. 그러나 그러한 교육관이나 생활 태도는 성장 과정에 짐이 되기 일쑤였다. 신화 속에서 오이디푸스 콤플렉스와 엘렉트라 콤플렉스를 접하고, 심리학을 공부하며 이를 극복해야한다고 생각하게 되었다.

지인 가족과 저녁을 한 적이 있다. 그 집 아들 정민이는 비아 씨가 양아들로 삼았다. 딸인 지수는 내게도 딸과 같다. 태어나 성장 과정을 함께 지켜보았던 가족이다. 장소는 신촌에 있었던 '팔색삼겹살'. 외국 단체 관광객들도 많이 찾는 분주한 업소였다. 그 자리에서 아들에게 소주잔을 건네며 성장하는 과정에 아버지로서 무리했던 일들이나 폭력적인 체벌에 대해 사과했다. 아버지를 처음 해봐서 그랬다며 마음을 열어 보였다. 아들은 수긍한 듯했으나 속내는 알기 어려웠다.

성장한 아들은 결혼을 생각한 예비 배우자를 우리 가족에게 소개했다. 명랑하며 활기차며 무엇보다도 아들과 잘 어울리는 예쁜 아가씨였다. 비아 씨와 나는 아무런 토도 달지 않고, 전폭적인 신뢰 속에 아들의 결정을 지지해 주었다.

결혼식은 2018년 4월 7일 판교 엔씨소프트 강당에서 치렀다. 같은 회사에서 동료로 만난 두 사람은 깜찍한 반려견 '토토'를 데리고 잘살고 있다. 아래에 아들과 며느리를 맞이하는 소회를 기록한 글을 소개한다.

<2018년 2월 上梓한 『깊은 생각 다른 생각 딴 생각』(공저)에서 전재>

■ 흔적이 역사가 되고

몇 달 후면 우리 가족은 새 식구를 맞이합니다. 88년생 아들이 드디어 결혼합니다. 며칠 전 아내가 책 한 권을 찾았습니다. 지난해 호평을 받아 베스트셀러 순위에 오르내렸던 조남주 작가의 『82년생 김지영』. 신문의 서평을 보아두었던 아내는 마침 내가 그 책을 아들에게 추천해 주는 것을 옆에서 들었던 모양입니다. 며느리를 좀 더 잘 이해하려면 한 번 읽어봐야 하겠답니다. 흔쾌히 서가에서 책을 꺼내 건네주었습니다.

요즈음은 우리나라에도 동성 간의 관계도 용인하는 쪽으로 인식이 변하고 있다지만 일반적으로 남자는 여자와 결혼합니다. 성공적인 결혼은 우선 상대를 이해하고 무한한 인내를 요구받는 어려운 과정입니다. 결혼 준비 과정에서 상대편의 젠더 문제를 생각해 보는 것도 중요하다는 생각을 합니다. 지난해 책을 읽은 후 젠더 문제에서만큼은 남성들의 올바른 인식이 먼저라는 생각이 들어 몇몇 동년배 지인들에게 일독을 권하기도 했지만 대개 무반응이었습니다.

10여 년을 시사교양 프로그램 구성 작가로 일했던 소설가는 현재 이 땅에서 일어나고 있는 여성 수난기를 냉정하게 써 내려갔습니다. 소설은 대체로 일상에서는 드물게 나타나는 특이한 소재를 다루게 됩니다. 그래서 독자를 놀랍게 만들거나 일상을 자극하여 우리에게 재미와 생각의 기회를 줍니다.

그렇지만 『82년생 김지영』은 탄탄한 자료와 실감 나는 취재로 다져진 영리한 보고서라 생각합니다. 소설은 그녀의 어머니와 주인공 그리고 그녀의 딸로 이어지는 삼대가 똑같이 겪어내는 여성 수난의 기록입니다. 책의 인기를 반영하듯 일부 자성의 목소리도 있었지만 이내 사회는 그런 이야기를 거두어 갔습니다. 안타까운 것은 소설의 성공과는 달리 지금 우리에게는 반성과 개선이 별로 없다는 점입니다. 그러니 앞으로도 남녀 성차별은 더욱 심화할 것이고, 우리 딸들은 또 앞으로도 계속 대물림되며 차별이 심해지는 환경에 내몰릴 수밖에 없을 겁니다.

지난 월요일 저녁 뉴스를 보다가 깜짝 놀랐습니다. 현역 15년 차 여성 검사가 용기를 내어 자기 경험을 고백했습니다. 인터뷰를 진행하던 손석희 앵커는 진심으로 놀라며 재차 되묻기도 했습니다. 자신에게 일어난 현실을 받아들일 수 없었던 피해자는 그 일이 발생하고 8년이나 지난 지금, 자신이 더욱 단단해져서야 비로소 용기를 냈답니다. 가해자나 관련자들은 부인하고 있습니다. 그러나 정작 문제가 되는 것은 그 일을 눈앞에서 보고도 방관했던 다수의 눈 감은 비양심 동료, 선후배들입니다.

인터뷰를 보며, 사회역학을 연구하는 김승섭 교수의 『아픔이 길이 되려면』의 첫 구절이 생각났습니다. 사회역학(Social Epidemiology)은 특정 질병을 앓게 된 경위를 아픈 개인만 치료하려는 관점에서 벗어나, 그의 직업, 환경 등에서 광범위하게 질병이 생겨난 본질적 이유를 찾아내서 '원인의 원인'인 사회적 요인을 탐구하여 진단하는 분야입니다.

"말하지 못한 상처, 기억하는 몸"이라는 제목을 붙인 책의 1부 첫 장은 구직과정에서 일어나는 여성 차별을 다루고 있습니다. "말하지 못한 차별 경험, 기억하는 여성의 몸"이라는 소제목의 글 속에는 차별을 경험했지만, 그 경험을 말하지 못한 이들이 실제로 가장 많이 아팠다는 사실을 통계자료로 보여주고 있습니다. 김 교수는 "물고기 비늘에 바다가 스미는 것처럼 인간의 몸에는 자신이 살아가는 사회의 시간이 새겨집니다."라며 소제목의 내용을 마무리했습니다.

지금 우리의 몸에는 어떠한 사회의 시간이 스며들어 있을까요? 억울함을 경험하고도 소리 내어 말하지 못하고 뒤돌아 입술을 깨무는 이들의 아픔을 애써 외면하는...... 그런 상황들이 당연하다 생각되는 사회는 분명 미래가 없습니다. 제게는 사회 진출을 앞둔 딸도 있습니다. 아내는 험한 세상에 어린 딸자식을 내보내는 것이 두렵다고 말합니다. 어떤 일이 있더라도 폭력과 차별 그리고 불공평의 흔적이 합리적으로 개선되길 소원합니다.

단테는 신곡에서 "지옥의 가장 암울한 자리는 도덕적 위기의 순간에 중립을 지킨 자들을 위해 예비되어 있다"라고 말했습니다. 서 검사의 일을 보고 저 역시 Me too가 아니라 Me First를 실천하려 합니다. 우리와 우리

후대가 더 나은 세상에 살아가길 위해서는, 아팠던 흔적이 분명한 역사가 되어 두 눈 부릅뜨고 우리를 더욱 냉정하게 감시해주길 바랍니다.

아들 경근은 응암초등학교, 충암중학교, 경복고등학교, 서강대학교 전자공학과, 딸 채린은 응암초등학교, 배화여자중학교, 이화여대부속고등학교, 성균관대학교 디자인학과에서 공부했다. 어디에서 무엇을 하더라도 또 현재가 어떠하더라도, 사람의 길은 늘 공부하며 가는 긴 여정이다. 어떤 경우에나 미소를 잃지 말고, 단단한 내면을 가진 고운 영혼으로 살아가기를 바란다. 며느리인 상미와 함께 세 사람의 건강과 진실한 행복을 빈다.

길을 잃어라

인천공항에서 로마로 향하는 비행기가 활주로를 내달리기 시작했다. 뒤에서 누군가 끌어 잡아당기는 느낌도 잠깐, 풍선처럼 둥실 온몸이 허공으로 던져졌다. 여행의 가장 설레는 순간은 바로 비행기가 하늘로 이륙할 때다. 13시간 반을 날아 로마 피우미치노 공항에 도착하니 주변이 온통 캄캄하다.

짐을 찾고 한참 걸어서 시내로 들어가는 마지막 열차 편으로 로마의 관문 역인 테르미니역에 내렸다. 자정이 넘었는데 예약한 숙소와 전화 통화가 되지 않는다. 난감했다. 민박의 강점인 픽업서비스 때문에 고른 숙소였다. 여러 차례 통화를 시도하다가 픽업을 포기하고 직접 숙소를 찾아 거리로 나섰다. 낯선 거리, 길모퉁이를 요리조리 돌아서 한인 민박에 도착했다. 긴장이 풀어지며 긴 잠에 빠져 들었다.

로마에 사흘간 체류하고 뜨렌이탈리아 기차 편으로 이탈리아 일주에 나섰다. 베네치아, 베로나, 밀라노를 거쳐 피렌체로 도착하니 일주일이 지나갔다. 숙소는 아르노강과 인접한 구도심의 레지던스를 예약했다. 피렌체 최고의 명소 중 한 곳인 폰테베키오 다리 입구도 1분 만에 걸어갈 수 있었다. 산타마리아 노벨라 기차역에서 여행 가방을 끌고 골목길은 걸으니 돌바닥과 바퀴의 마찰음이 귀에 거슬린다. 전 세계에서 몰려든 관광객들로 혼잡한 속에서 카트를 끌고 나는 도대체 왜 여기에 있는지 혼란스러웠다.

은퇴하면 피렌체에서 딱 일 년쯤 살고 싶었다. 마치 현지인처럼 살아보길 소원했다. 비아씨도 서강대학교 평생교육원에서 이탈리아어 과정을 수강했다. 주로 성악이나 가톨릭 신학을 공부하려는 사람들을 대상으로 개설된 강좌였다. 다른 수강생들은 단지 여행을 위해 언어를 공부한다는 비아 씨를 신기해했단다. 구체적인 일정을 짜면서 체류 기간을 백일로 단축했다. 하지만 아버지를 대신 모셔줄 여동생의 사정에 따라 여행 기간은 또 조금 줄어들었다.

르네상스의 고향 피렌체에서는 우선 단테, 마키아벨리, 바사리, 다 빈치의 흔적을 더듬어보고, 그들의 체취를 느껴보고 싶었다. 다음으로는 브루넬레스코가 건축한 산타마리아 델 피오레 성당 두오모와 조토의 종탑, 산 조반니 세례당 등 다양한 건축의 면모를 느껴보고 싶었다. 영화 '냉정과 열정'처럼 쿠폴라에도 오르리라. 또한 원근법의 발상지인 산타마리아 노벨라성당에서 마사초의 '성 삼위일체'를 친견하고 싶었다. 우피치 미술관에서 보티첼리의 '프리마베라', '비너스의 탄생', 카라바조의

'메두사'를 보고 싶었다. 피티 궁전과 넵튠분수가 있는 정원도 보고 싶었다. 미켈란젤로가 메디치가를 위해 만든 라우렌치아 도서관에 가서 군주론 책도 구입할 계획이었다. 시뇨리아 광장 가운데 사보나롤라가 화형당한 지점의 동판을 밟아보고 싶었다. 오랫동안 조금씩 꿈을 키워 가며 열망하던 소원을 실현한 여행이었다. 내 머릿속에는 피렌체의 지도가 물결치듯 살아 움직였다.

피렌체에 도착하자마자 '피렌체 티켓'을 구매했다. 3일간 도시의 중요 명소를 돌아볼 수 있는데 웬만한 박물관이나 미술관 궁전, 그리고 일부 버스가 프리 패스다. 레지던스 직원인 조와 크리스티나는 가까운 식당들과 편의점 같은 곳들에 대한 정보를 친절하게 설명해 주었다. 그들이 알려준 대로 티본스테이크 하우스를 찾았다. 왁자지껄한 분위기에 고기를 구어 내는 쉐프는 아주 쾌활했다. 비아 씨와 나를 향해 과장된 몸짓과 함성으로 대형 포크에 스테이크를 찍어서 건넸다. 마포갈비를 파는 깡통집 분위기가 풍겼다.

피렌체에서도 여러 번 길을 잃었다. 하지만 그저 걷다 보면 또 뭔가 나타나며 어디론가 연결되었다. 드문드문 점들을 찍어가다 보면 선으로 연결되는 것처럼……

"길을 잃어라. 강제된 실수와 적당한 불안이 최고의 안내원이다."

안드레 애치먼의 『알리바이』중 한 대목이다. 책 제목 알리바이는 라틴어로 '다른 곳에'라는 뜻이다. 이제는 본디 의미와는 좀 거리가 있는 변명이나 핑계를 대는 현장부재증명으로 사용한다. 여행지에서 항상 이 말을 떠올린다. 피렌체에서도 역시 이 말을 중얼거리며 다녔다. 700년 전쯤 청년 단테가 베아트리체를 우연하게 스쳐 지나갔던 산타 트리니타 나리 입구에 서 있고 싶었다. 아홉 살 소년 단테가 여덟 살 소녀 베아트리체를 처음 보고 10년 동안 연모의 정을 키워가다 처음이자 마지막 조우한 그 장소. 위대한 『신곡(神曲) La Divina Commedia』의 영감을 준 장소다.

알고 보니 그곳은 벌써 내가 몇 차례 지나다녔던 곳이었다. 역사와 장소는 그대로이지만 나의 발견이 따르지 못한 것이다. 인식하고 나니 그 근처만 다가가도 가슴이 놀란 듯 뛰면서 호흡이 가빠졌다. 세밀한 계획으로 여행을 준비하지만, 의도된 낯섦과 짜릿하는 감동은 더욱 좋다. 최단거리로 가기보다는 돌아가다 만나게 되는 세렌디피티, 즉 의도치 않게 우연히 얻은 좋은 경험이나 성과가 준비의 결과보다 소중한 보답이었다.

프리마베라

이른 아침 비아 씨와 같이 숙소인 레지던스에서 나와 시뇨리아 광장을 천천히 걸어 우피치 미술관으로 갔다. 채 5분이 걸리지 않았다. 오랫동안 고대하던 미술관으로 입장했다. 직관을 기대하던 그림은 보티첼리의 '봄'과 카라바조의 '메두사의 머리', 젠틸레스키의 '유디트', 피에로 델라 프란체스카의 '우르비노 공작 부부의 초상화' 등 너무 많았다.

먼저 눈길을 끄는 '비너스의 탄생'을 감상하다가 '봄'으로 시선을 돌렸다. '봄'은 라틴어 프리마베라(Primavera)의 우리말이다. 입속에 가득 바람을 문 서풍의 신 제피로스가 요정 클로리스의 뒤를 따른다. 제피로스의 손이 클로리스의 몸에 닿는 순간 그녀의 입에서 장미와 국화 같은 꽃들이 쏟아져 나온다. 클로리스는 봄과 꽃의 여신인 플로라로 변신한다. 화려한 꽃으로 수놓은 옷을 입은 플로라는 장미를 뿌리려 한다. 숲 한가운데에는 사랑의 여신 비너스가 서서 봄의 정경을 바라보고 있다. 한편에는 삼미신이 서 있고, 신의 전령 헤르메스가 지팡이로 봄의 평화를 깨려는 먹구름을 막고 있다. 비너스 머리 위에서는 눈을 가린 큐피드가 누군가에게 화살을 겨누고 있다. 눈을 가리고 화살을 난사하면 화살은 누구에게 날아갈까?

나의 영어 이름 '제프리(Jeffrey)'는 보티첼리의 '프리마베라'에서 장난스럽게 바람을 불게 하는 서풍의 신 제피로스에서 따왔다. 보통 제프(Jeff)라 불러달라고 소개한다. 고등학교 시절 원어민 영어 회화 시간이 있었다. 평화봉사단으로 파견된 영어 선생님의 숙제로 급하게 만들었던 이름이다. 젊은 그는 딱지를 나누어주는 동네 형 같은 느낌으로, 질문에 답을 하면 미국 우표를 선심 쓰듯 나눠줬다. 그 바람에 영어를 열심히 했다. 서풍의 신 제피로스가 등장하면 피렌체에는 명주바람이 불어오고 봄이 다시 찾아온다고 했다.

유럽의 동방 무역은 서풍을 이용해 크게 성장할 수 있었다. 그를 통해 부를 이룬 메디치 가문은 르네상스를 주도해 나갔다. 르네상스는 새로운 시대에 대한 염원이었고 피렌체는 드디어 세상의 중심이 되었다. 피렌체는 꽃의 도시다. 또 아르노강이 관통하는 물의 도시이며, 메디치 가문의 문장에 조각된 알약을 시내 어디서나 만날 수 있는 도시다. 우피치 미술관에서 '프리마베라'를 오랫동안 마주 보며, 르네상스 인천고교에서 시작된 나의 여정을, 다시 돌아온 나의 봄을 거듭 상상하고 있었다.

비아 씨와 나는 선호하는 그림의 패턴이 좀 다르다. 각자 그림을 보다가 아트숍에서 다시 만나기로 했다. 관람을 마치고 기다리는데 비아 씨가 안 보인다. 역으로 우피치 회랑을 다시 돌았다. 혹시 문밖에서 만나기로 했는지 혼동이 되어서 퇴장했다가 다시 들어갔다. 검표원이 제지한다. 사정을 설명하고 다시 입장해서 또 한 바퀴를 돌았지만 만날 수 없었다. 중간에 내 전화 와이파이가 안 되어 결국 혼자서 호텔로 돌아왔다.

돌아온 호텔에도 안 보인다. 한국으로 전화해 채린이와 통화한 다음, 말을 전하라 했다. 비아 씨 역시 나를 기다리다가 호텔로 돌아오는 길이란다. 호텔을 나서 마중 나갔다. 산타 노벨라 기차역 옆 골목 바사리호텔과 우피치 미술관 사이 딱 중간쯤, 피렌체 시내 한 복판 산 로렌초 성당 뒷골목 가운데서 재회. 에쿠니 가오리와 츠지 히토나리가 남녀 입장에서 써 내려간 소설 『냉정과 열정』의 남자 주인공 준세이와 여자 주인공 아오이의 재회처럼……

아무튼, 비아 씨가 무척 반가웠다. 그렇게 반나절이 황당함과 허둥거림 속에 연기처럼 사라졌다. 아쉽고 소중한 시간들이었다. 우피치 미술관 아트숍에서 구입하려던 피렌체 성당 파샤드를 모아 디자인한 아트 포스터는 결국 사오지 못했다.

천주교인 나의 세례명은 안드레아. 동생은 베드로다. 예수님 열두제자의 서열로 보면 형과 동생의 서열이 바뀌었다. 동생은 성당에서만큼은 예수님이 보고 계실 테니 자신을 형님이라 부르라며 농을 했던 적이 있다. 그러나 형님 동생도 해병대와 같다. 한 번 동생이면 평생 동생.

피렌체의 청소부

피렌체에서 하고 싶은 버킷리스트 중 하나가 '피렌체 마라톤' 참가였다. 여행 일정을 10월에서 12월 중순까지 계획한 것도 마라톤 참가를 고려해 결정했다. 여행 출발 전에도 강북 강변둔치를 자주 달렸다. 서강대교 아래서 출발하여 양화대교 아래나, 반대쪽인 원효대교 아래까지 갔다가 돌아오는 코스를 달렸다. 피렌체 도착 다음 날부터 새벽에 몸풀기에 들어갔다.

해 뜨기 전, 일어나 숙소에서 나오면 형광색 유니폼을 입은 청소부를 만난다. 대빗자루를 들고 마치 춤을 추듯 경쾌하고 신나게 빗자루로 바닥을 쓸어내는 모습은 내가 알던 청소부의 모습과는 사뭇 다르다. 프로페셔널한 댄서의 몸짓이 바로 피렌체 청소부였다. 큰 소리로 '본조르노~'를 외치니 더 큰 소리로 인사를 건네 온다. 어둠에 잠든 시뇨리아 광장을 건너 두오모 성당 외곽을 한 바퀴 먼저 돈 다음, 미켈란젤로 언덕을 올랐다가 내려오는 코스를 달렸다. 숙소로 귀환하며 폰테 베키오를 뛰어 건너면, 멀리 동쪽 하늘을 붉게 물들이며 아침 해가 슬금슬금 떠올랐다. 펄펄 뛰는 살아있는 삶의 기운이 온몸에 충만하게 느껴졌다.

나의 여행 징크스인 치통과 감기가 발목을 잡았다. 여독이 풀리지 않은 채 강행한 무리한 운동에 몸이 반발한 것이다. 결국 피렌체 마라톤은 깨끗이 포기해야 했다. 준비해간 약이 떨어져 약국을 다녀왔다. 마라톤을 하는 날은 아침부터 페루자를 다녀왔다.

저녁에 식당에 가니 마라톤 완주자들이 모여 시끌벅적하게 파티하고 있다. 완주 메달을 목에 걸고 환호성을 지른다. 내가 경험한 바로는 우리나라에서 마라톤 완주 메달을 목에 걸고 당당하게 즐기는 경우는 거의 없었다. 남의 눈치를 먼저 보고 자신이 만든 성취에 점잖게 겸양하는 행동을 하는 문화에서는 허락되기 어려운 광경이었다. 소소하지만 개인의 작은 성취를 기뻐하며 격려하고 흥겹게 즐기고 사는 이탈리아인들의 특성이 그대로 느껴지는, 그래서 문화 충격이 다가오는 밤이었다. 부럽게 바라보다가 눈이 마주쳤다. 내가 먼저 엄지 척을 날리고 박수를 보내줬다. 목에 메달을 건 완주자도 주먹을 치켜들며 미소로 응답했다.

피렌체 공화국광장에는 회전목마가 돌아간다. 세월 흐름처럼 천천히 돌아가는 회전목마를 바라보면 유년의 기억이 떠오르며 마음이 금세 편안해진다. 근처에는 여가수가 노래한다. 허스키한 음색의 노래를 들으며 짝다리를 짚고 약간 떠는 모습을 흉내내며 비아 씨와 깔깔거렸다. 비아 씨의 인생커피는 공화국광장 모퉁이에 있는 카페 질리의 카푸치노다. 북적이는 카페에서 손님들에게 무심하게 에스프레소를 내어준다. 그러다 자그마한 동양 여자인 비아 씨가 자기네 말로 능숙하게 주문을 하자, 갑자기 친근하게 미소를 보내며 립 서비스를 하는 질리의 바리스타가 다시 보고 싶어진다. 또 봉긋하고 달콤하며 크리미한 질리의 카푸치노도 그리워진다. 티라미수도 한입 떠먹어야 한다.

질리로 부터 몇 집 건너에 모카포트의 대명사 비알레띠 매장이 자리하고 있다. 이층 매장으로 발 디딜 수 없을 정도로 상품이 많은 그곳은 11월 한 달 내내 신상품도 50% 할인했다. 화려한 색상과 디자인의 모카포트를 선물용으로 여러 개 샀다. 두터운 주물 냄비는 70% 할인 판매한다. 덜컥 사고 보니 냄비 뚜껑은 별도판매라고 조그맣게 적혀있었다. 다만 뚜껑은 정가 판매다. 얄미운 느낌이 들지만 한편으로 귀여운 상술이라 느껴진다. 합체된 냄비 가격은 그래도 좀 싸다. 그 냄비는 아직도 우리 집 주방에서 한몫하고 있다.

피렌체 터미널에서 시외버스를 타고 인근에 있는 '더 몰'도 다녀왔다. 교외에 위치하여 명품을 파는 대규모 상가다. 주머니가 두둑해 보이는 중국이나 중동 사람들 사이에서 비아 씨는 재빠른 쇼핑 기술을 선보였다. 세금 환급도 계산을 잘 맞췄다. 반면 가성비 최고의 '메르카토 센트렐레' 즉 중앙시장은 문턱이 닳도록 들락거렸다. 2층 푸드 코트가 우리의 주방이고 식당이었다. 곱창 버거로 유명한 '네르보네'의 수육버거는 입맛에 딱 맞았다.

'이두에 프라텔리니', '비스테카 알라 피오렌치나' 등 자주 다니던 유명한 식당들은 관광객들이 넘쳐났다. '지오지지'나 '마리오' 같은 현지인 식당들, 육개장이 도시락으로 포장되는 한국음식점 '온', 한국어 메뉴판이 비치된 페킹 북경반점도 가끔 들렀다. 오후 늦게 산타마리아 노벨라 성당에서 마사초의 '성 삼위일체'를 오랜 시간 올려보다가 성당 뒷골목에 있는 산타마리아 노벨라 약국에서 일명 '고현정의 장미수'도 여러 병 샀다. 비아 씨는 손을 꼽아가며 선물의 수령인들을 헤아렸다. '엘보라리오' 화장품을 취급하는 '비폴리'에서는 계산 착오가 있어 다시 방문해 정산했다. 상술이 뛰어나고 서비스도 후하게 집어주지만, 얼렁뚱땅 눙치는 바람에 정신없이 결제하다보니 다시 방문해 바로 잡았다. 한국보다 2~3배 싸다는데 어쩔 수 있으랴.

무엇보다 피렌체는 정말 아름다웠다. 아르노강 강가에서 바라보는 노을은 매일 매일 색이 달랐다. 미켈란젤로 언덕에 올라 계단에 걸터앉아 저녁놀에 잠겨가는 폰테 베키오를 오래 바라보았다. 오른편으로 눈을 돌리면 펼쳐지는 반짝이는 도시의 야경은 역사의 한 페이지를 내가 직접 넘기는 착각이 들게 했다. 그냥 내가 옛날부터 살아왔던 도시 한 구석에 깃털처럼 가볍게 머무르다가 아르노강의 검은 물속으로 스르르 잠겨 드는 느낌이었다. 무언가 안온하며 충만한 저녁들이었다.

댄 브라운의 영화화된 소설 『인페르노』는 단테의 신곡 첫 편인 지옥이라는 의미다. 주인공인 기호학자 랭던 박사(톰 행크스)가 영화에서 누군가에 쫓기며 달아나던 미술학교 교정을 산책하며, 늦가을 오후 햇살을 즐긴 적이 있다. 낙엽이 잔뜩 쌓여 바람에 술렁거리는 틈에 굵은 밤톨을 몇 개 주웠다. 이탈리아 밤은 무척 크다고 생각하며 껍데기를 앞니로 깨물어 벗기었다. 떫은맛이 입안에 날카롭게 퍼져든다. 깜짝 놀라 자세히 보니 밤이 아니라 마로니에 열매다. 우리나라에서는 칠엽수라 부르는데 생각이 사물에 못 미쳤다. 지중해 기후 영향을 받은 이곳의 일부 과일은 아주 실해서 크기도 크고 탐스러웠기 때문이다. 빈 교정 잔디밭 너머로 멀리 던져 버렸다.

여행은 시간과 돈을 투자해 외로움을 자초하는 일이다. 비아 씨와 둘이 온 여행은 외로울 틈이 없었다. 아르노 강변을 둘이 걷다가 강가의 벤치에 걸터앉아, 흐르는 강물을 말없이 오래 오래 보고 있었다. 시간이 느리게 강물처럼 흘러간 다음 비아 씨는 조용하게 말했다. 강물을 보니 강물 속으로 걸어 들어가고 싶단다. 아무런 말도 꺼낼 수 없었다. 아무런 생각도 들지 않았다. 어쩌면 무척 외로웠는지 모른다고 생각했다. 살 맞대고 사는 아내가 시시각각으로 떠올리는 생각의 근원을 다 헤아려 알 수는 없는 노릇이니, 그 순간 왜 부산 태종대 자살바위가 떠올랐는지 알 수 없었다. 그래, 지금 여기 내가 피렌체에 살아있음이 도저히 종잡을 수 없던 오후였다.

그러다가 아무 일도 없던 것처럼 일어나 바지를 툭툭 털어낸 다음 마키아벨리가 어릴 적 살던 집으로 걸음을 옮겼다. 그곳은 천정을 가로지르는 보만 남은 채 도자기 가게로 변해 있었다. 17살 먹은 어린 마키아벨리가 아버지 심부름으로, 갈대 잎사귀로 짠 바구니 속 호리병 모양의 피아스코에 담긴 키안티 와인 세 병과 식초 한 병을 들고 집을 나서는 모습이 상상됐다. 와인과 식초를 책 제본비로 치르고, 리비우스의 『로마사』 책을 받아 역시 가슴에 소중하게 끌어안고 돌아왔을 것이다. 하염없는 시간들이었다.

단테와 마키아벨리

단테 알레기에리 거리를 찾았다. 지도에는 '거리'(Via)라고 되어있지만 어두컴컴하고 협소한 골목이다. 산타마리아 노벨라 성당 앞 브루넬레스코 동상 옆 골목으로 몇 걸음만 들어가면 왼편에 산타 마르게리타 성당이 자리 잡고 있다. 아홉 살 먹은 소년 단테가 청순하고 아름다운 소녀 베아트리체를 처음 만났던 곳이 바로 이곳이다. 골목을 사이에 두고 '단테의 집'(카사 디 단테)이 있다. 현재는 단테 기념박물관이다. 그 앞에는 단테와 같은 복장으로 신곡을 낭독하는 사람이 있다. 낭송 소리는 독특한 운율이 있다. 한참 낭송하다가 갑자기 멈춘다. 둘러섰던 관광객들이 눈치를 채고 모금함에 돈을 넣자, 슬며시 낭송이 다시 시작된다.

두 사람의 재회는 9년이 지난 다음, 아르노강 변의 산타 트리니타 다리 앞. 이 장면을 영국 화가 헨리 홀리데이는 그림으로 재창조했다. 화가는 붓을 들어 물감으로 상상했지만 우리에게는 실존으로 다가왔다. 저 멀리 배경에 폰테 베키오가 보인다. 숨이 막힌다. 그러나 단테는 이미 젬마 도나티라는 여인의 남편이다. 역시 다른 남자와 결혼했던 베아트리체는 25살의 나이에 요절했다. 하지만 베아트리체는 단테의 마음속에 영원했다.

▶Henry Holiday 『Dante and Beatrice』 1883 Walker Art Gallery, in Liverpool, England.

단테는 『신곡』에서 시인 베르길리우스를 길잡이 삼아 여행한 뒤, 방황하는 자신을 위해 천국에 온 단테를 이끄는 '천상의 여인'으로 베아트리체를 창조한다. 부산대 박상진 교수의 번역본과 대구가톨릭대 김운찬 교수의 번역본을 대조해가며 읽었다. 박 교수의 책은 윌리엄 블레이크의 그림이 들어있어 현실감이 들었다. 단테를 읽어 나가다 보면 세상을 모두 살아 본 느낌이 든다. 어두운 숲을 지나 망각의 세계로 들어가 펼쳐지는 지옥의 생생함은 사후세계를 감지하게 만든다. 연옥이나 천국의 장면은 추상적이지만 글의 위대함에 거듭 놀라게 된다.

베로나 여행길, 브라 광장에서 아레나를 거쳐 세련된 거리를 걸어서 '줄리엣의 집'으로 향하다 광장에서 단테의 동상을 만났다. 한참 올려보다가 길을 재촉했다. 단테의 흔적은 라보나, 볼로냐 등 여러 도시에 남아 있다. 볼로냐 여행 중 일부러 볼로냐 대학을 찾았다. 1088년 개교로 세계 최고 역사를 가진 대학이 궁금했고, 무엇보다도 단테의 모교여서였다. 마침 휴일이어서 학교 내부로는 들어가 보지 못했지만 회랑으로 연결된 볼로냐는 참 아름다운 도시였다. 매년 국제아동도서전이 열리는 도시여서 여기저기 기웃거리며 걸어 다니다가 책방이 보이면 들어가 다양한 그림책을 마음껏 구경했다.

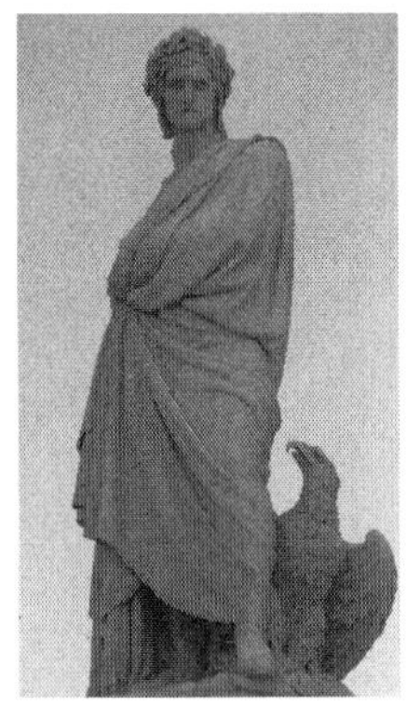

산타마리아 노벨라 역 인근 시외버스 터미널에서 버스를 타고 마키아벨리의 시골집을 찾았다. 피렌체 남쪽, 산 카시아노지역 산탄드레아에 있

는 작은 시골 농가다. 이미 피렌체 시내에 있는 그의 발자국은 대부분 따라다녀 보았다. 시오노 나나미의 『나의 친구 마키아벨리』 전자책을 노트북으로 읽었다. 책의 첫 머리에 그 곳으로 가는 3가지 코스가 나온다. 그중 세 번째 코스를 택했다. 이제 그가 낙향해 실의 속에 기회를 탐색하며 군주론을 쓰던 집에 도착했다.

집 마당에 들어서니 저 멀리 피렌체 전경이 아득하게 보인다. 마키아벨리에게는 정치 복귀가 정말 절실했으리라는 생각이 들었다. 포도밭이 구릉을 따라 편안하게 누워 있고 그 사이로 사이프러스 나무가 가끔 열지어 서 있는 길이 이어진다. 전형적인 토스카나 풍경이 눈앞에 펼쳐진다. 11월이지만 따스한 바람이 부드럽게 불어온다.

집을 돌아보고 마을에 포장이 되지 않은 흙길을 산책했다. 오십 여년전 르네상스를 갈망하기 시작했을 때, 우리 집 근처 시흥군 미산리로 가는 흙길도 딱 이랬었다. 지평선과 토스카나의 가을 하늘이 맞닿은 곳까지 하염없이 걸어가 보면 좋겠다는 생각이 들었다. 특색 없이 조용한 시골 마을이다. 길 건너 마키아벨리 프로필이 간판에 걸린 레스토랑에 들렀다. 마키아벨리 얼굴이 들어간 와인을 주문했다. 손님이 아무도 없는 집, 비아 씨와 나는 그 집을 전세 낸 것처럼 편안하게 앉아서 마키아벨리 와인 잔을 기울였다. 토스카나의 가을 날 하루가 그렇게 지나가고 있었다.

『군주론』은 신복룡 교수의 번역본을 처음 읽었다. 신 교수님은 대학 시절 탈춤반 서클 지도교수가 아니었음에도 공연을 꼭 관람하고 탈춤반을 적극 후원해 주셨다. 그가 전공한 정치학의 영역에는 탈춤 속에 내재한 서민과 권력자의 정치적 관계가 연구대상이었다.

KPC 재직 시절, 연세대학교 김상근 교수가 『세상에서 가장 위험한 현자 마키아벨리』를 출간했다. 책이 나오자마자 CEO교육과정 담당 전문위원에게 도서와 필자를 함께 추천했다. 프린스턴신학대학원 출신의 신학자인 김 교수의 강의가 사장들에게 적절치 않다는 의견도 나왔지만, 주제를 보자고 주장해 KPC로 초청해 강의를 들었다.

헤드테이블에서 함께 조찬을 하며 김 교수에게 여행계획을 이야기했다. 그는 꼭 가보라며 라우렌치아나 도서관을 추천했다. 그러며 시오노 나나미는 너무 흥미 위주라 취사선택을 잘하라는 팁도 주었다. 강의를 경청한 “KPC-CEO 북 클럽” 회원들인 기업체 사장들은 김 교수의 친절하고 흥미진진한 강의에 엄지손가락을 치켜들었다. 책을 이미 완독하고 추천한 나도 덩달아 뿌듯했다.

피렌체에 도착해서 계획대로 라우렌치아나 도서관에 가서 『군주론』 포켓본 책을 구입했다. 미켈란젤로가 천국으로 오르는 계단을 형상화한 도서관 입구. 타원형 검은 대리석 계단을 밟아 오르며 숨이 멎는 듯하고 가슴은 심하게 뛰었다. 그 도서관에 오르는 계단은 가운데로 오를 수 없다. 관람객은 양 옆으로 입장해야만 한다. 메디치가의 라우렌치아나 도서관은 르네상스의 심장이다.

후일 한국에 돌아와서 이듬해 봄, 서강대 강정인 교수와 이관후 교수가 함께 진행한 13주간의 '군주론강독'을 수강했다. 수업을 듣고 나서 서강대 정문까지 곧게 뻗은 언덕길을 걸어 내려왔다. 양옆 벚나무 가로수에서는 바람에 하얀 벚꽃 잎이 날리고, 그 가운데 저만치 앞에서 피렌체 공국의 관복을 입은 마키아벨리가 근엄한 얼굴로 내게 다가오고 있는 듯한 환영이 보였다. 오른손에는 『군주론』의 헌정사 페이지를 펴 들고, 왼편 겨드랑이에는 『로마사 논고』와 『만드라골라』 책을 끼고서...

산타마리아 노벨라 역 우체국 앞에서…

이제 완연한 가을이다. 소슬바람 한기가 목덜미를 어루만진다. 남겨 두고 온 아이들이 아련하게 그립다. 첫 아이를 가졌을 때 비아 씨는 칼국수를 그렇게 먹고 싶어 했다. 결혼 전 함께 다녔던 명동교자를 가고 싶어 했지만, 무거운 몸으로 대림동에서 번화한 명동까지 나가기는 좀 무리였다. 대신, 집 앞 큰 길 가에 있던 명동칼국수를 자주 다녔다.

칼국숫집 건너편에는 대림동 우체국이 있었다. 우체국 계단에는 베고니아 화분이 가지런히 놓여 있었다. 어딘가에서 조용필이 부르는 "서울 서울 서울" 노랫말이 들려왔다. 퇴근을 서둘러 집에 돌아와 비아 씨 손을 잡고 동네를 천천히 걸어 다녔다. 그러던 어느 날부터인지 칼국숫집 출입을 딱 그만 두었다. 분명 뱃속 아이가 물렸다고, 거부해서였을 것이라 믿는다.

"해 질 무렵 거리에 나가 차를 마시면/내 가슴엔 아름다운 냇물이 흐르네~/베고니아 화분이 놓인 우체국 계단/어딘가에 엽서를 쓰던 그녀의 고운 손~"

그 때 베고니아 화분 속 하늘거리는 꽃잎은 고왔고, 아내의 손은 더욱 희고도 가늘고 고왔다. 바로 1988년이었고 올림픽만 잘 치러낸다면, 우리 모두는 자신들의 앞날도 팔팔할 거로 생각하면서, 바로 전해인 '87년의 봄'의 아픔을 말끔하게 이겨내는 것으로 생각했다.

피렌체에 도착한지 얼마 안 되어 거리에서 프란치스코 교황님의 퍼레이드를 만났다. 전날부터 관광객들이 늘어나고 거리 곳곳에서는 수녀님들이 많이 보였다. 비아 씨와 함께 아카데미아 미술관에서 두오모성당으로 향하는 길을 걷다가 중간쯤에서 교황님 일행과 마주쳤다. 차도와 인도 구분도 없는 편도 1차선 소로였다. 우리가 서있는 바로 2미터쯤 앞으로 차를 탄 교황께서 천천히 지나가신다. 다급하게 카메라 스위치를 켜고 셔터를 눌렀다. 순식간이었다. 연도에 늘어서서 "파파"를 외쳐대는 수많은 사람에게 일일이 눈을 마주치며 조용한 미소를 날리고 가셨다. 행운이었다. 앞으로 르네상스 여정이 축복받은 느낌이 강하게 들었다. 저녁에 호텔로 돌아와 TV를 켜니 온통 교황 방문 장면이 이어졌다.

12월이 되니 피렌체에는 크리스마스 분위기가 고조되고 있다. 거리마다 반짝이는 조명을 준비한다. 우리는 성탄 전에 이 도시를 떠난다. 한국에 귀국 짐을 보내려 우체국엘 들렀다. 산타마리아 노벨라 기차역 왼쪽 모퉁이에 있는 작은 우체국. 소포 박스를 사고 운송장을 써서 붙였다. 우체국 직원이 미소를 지으며 교황의 피렌체 방문 기념우표와 엽서 세트를 슬며시 건넨다. 거절할까 망설이다가 값을 치렀다. 아이같이 기뻐하며 소포 발송을 서둘러 준다. 아마도 판매 할당이 내려왔던 모양인가.

가을, 그즈음의 우체국은 어쩌면 그리움이다. 빨간 우체통도 그렇고 우표도 그렇고, 항공 봉투 겉면의 VIA AIR MAIL도 그렇다. 피렌체를 꿈꾸던 오래전부터 그것들은 내게 미지의 황홀한 세계였다. 떠나가 볼 거라고 다짐하면서 가슴 두근거림을 몰래몰래 혼자서 즐겼었다. 비아 씨가 열정적으로 이탈리아어를 공부한 덕택에 이 나라를 자유롭게 떠돌아다니고 맛있는 음식을 자유롭게 주문해 즐겼다. 산타마리아 노벨라 역 우체국 문을 나서며, 윤도현의 "가을 우체국 앞에서"를 흥얼거린다.
"가을 우체국 앞에서 그대를 기다리다/노오란 은행잎들이 바람에 날려

가고/지나는 사람들같이 저 멀리 가는 걸 보내//세상에 아름다운 것들이 얼마나 오래 남을까/한여름 소나기 쏟아져도 굳세게 버틴 꽃들과/지난겨울 눈보라에도 우뚝 서있는 나무들같이/하늘 아래 모든 것이 저 홀로 설 수 있을까//가을 우체국 앞에서 그대를 기다리다/우연한 생각에 빠져 날 저물도록 몰랐네/날 저물도록 몰랐네~"

얼마 후 귀국길에 올랐다. 비행기 안에서 헤르만 헤세가 피렌체를 떠나며 노래했던 『북쪽에서』를 읽었다. "꿈에 본 것을 말해줄까?/잔잔한 햇볕을 받아/반짝이는 언덕 가에/어두운 나무들의 숲과/갈색 바위와 하얀 별장//골짜기에 자리한 도시/하얀 대리석 성당들이 있는/도시는 나를 향하여 반짝이고/그곳은 피렌체라는 곳//좁은 골목에 둘러싸인/한 고풍스러운 정원에서는/내가 두고 온 행복이/나를 기다리고 있으리라" 그해

10월에서 12월에 걸친 '오 마이 르네상스', 피렌체 살기가 그렇게 끝났다.

헤르만 헤세가 피렌체에 두고 간 행복처럼, 나와 비아 씨가 두고 온 행복도 피렌체 어딘가에 분명히 있으리라 믿는다. 이 글은 구스타프 말러의 심포니 2번 부활을 들으며 써 나갔다. 리카르도 샤이가 2011년 국제 말러 페스티벌에서 지휘한 '라이프치히 게반트하우스 오케스트라'의 부활 5악장 마지막 장면, 가슴 터지는듯한 합창 가사를 듣는다.

"내가 받은 날개를 달고 날아 오르리!/나는 살기 위해 죽으리라!/부활하리라, 내 영혼이여./너는 일순간 부활하리라!/그대가 받은 고통/그것이 그대를 신에게 인도하리라!"

장엄하게 울려 퍼지는 5악장 마지막 합창 소리의 울림 속에 문득 생각했다. 그리스와 로마의 신들이 피렌체를 거니는 환상 속에, 인간의 이성과 감성이 폭발적인 에너지를 발현하던 르네상스 여행. 그 여행은 내게 새로운 부활의 시간이었을까 아니면 노화와 소멸의 시간 가운데 어디쯤이었을까.

어세서 or 모더 or 퍼실

KPC를 퇴직하면 과거 경험을 활용하여 지속할 수 있는 영역이 우선 '어세서' 즉 공공기관 전문 면접관이었다. 전직인 사능원 근무 시 회사 경영에 집중하느라 실제 면접에 참여하기는 쉽지 않았다. 그즈음 미국의 인터뷰 진행자로 유명한 '스터즈 터클'이 직업을 가진 133명을 인터뷰하여 자신의 직업과 생활을 기록한 『일』(Work)을 접하게 되었다. 책의 부제인 "누구나 하고 싶어 하지만 모두 하기 싫어하고 아무나 하지 못하는"이라는 문구에 시선을 빼앗겼다. 다양한 직업의 사람을 취재하여 기록한 이 책 속에는 심지어 아이를 키우는 매춘을 직업으로 가진 경우도 담담하게 기록했다. 제대로 된 질문으로 만드는 좋은 면접이라는 행위가 내게 의미 있게 살아나서 전달되었다.

KPC에서 "직업상담사양성 과정"을 최초로 개발해 교육하고, 산업 인력의 역량 개발을 위한 일을 했던 나는 '일의 본질은 무엇인가?'를 늘 자문하며 살아왔다. '일이란 무엇인가'라는 질문을 하려면 '왜 일을 하는

가?'와 '어떻게 일하려는가?'를 함께 물어야 한다. 일의 목적은 무엇일까. 살기 위해서라지만 그것만으로는 충분치 않다. 일은 사람들과 어울려 즐겁고 행복한 삶을 만들 수 있기 때문이다. 우리는 성공을 '능력×열정×방법=성공'의 방정식으로 표현한다. 우선 중요한 능력(역량, Competency)을 우리나라 정부의 국가직무능력표준(NCS, National Competency Standards)에서는 지식, 기술, 태도로 정의한다.

일의 성공 요인은 분명한 목표와 신념, 연구하는 자세, 긍정적인 태도, 올바른 방법에 대한 열정, 지속 노력 등이다. 아울러 주인 된 마음으로 일을 사랑하는 것이다. 일은 우리 삶의 일부이자 전부다. 삶을 영위하기 위한 필수조건이 일이다. 일은 스트레스와 행복을 동시에 준다. 일을 통해서는 돈과 경험을 얻는다. 이 두 가지가 열심히 일을 해야 하는 이유이고, 일을 통한 경험과 경쟁력은 나를 성장시키고 행복을 가져다준다. 삶의 목적은 일반적으로 자기가 생각하는 행복한 삶을 살아가는 것이다. 일은 바로 인생이고 진정한 삶은 일을 통해 완성된다.

'스터즈 터클'의 책을 다 읽은 후, 휴일에 총무처에서 주관한 예비군 지휘관 선발 면접을 매회 빠짐없이 참여했다. 주로 막 전역하는 영관급 장교들이 응시한다. 과천에 있던 중앙공무원연수원에서 진행되는데 장교 출신으로의 강점을 살려 후배 장교들이 예비군 지휘관으로서 사회조직에 잘 적응할 수 있는 역량평가에 주력하며 전문 '어세서'로의 길을 차근차근 준비했다. 행정고시 최종면접에도 참여했다. 압박 면접을 주관했는데 필기를 통과한 응시자들의 명석함 속에서 눈치가 보통들이 아니었다. 면접관으로 참여하려면 차를 연수원 아래 주차장에 대고 경사 길을 좀 걸어 올라가야 한다. 바로 내 앞에 남녀가 섞인 한 무리 지원자들이 올라간다. 어떤 면접관을 만날지 걱정된다고 이야기하며 걸어간다. 뒤에서 들으니 긴장에 벗어나려 농담도 하며 까르르 웃으며 간다. 나중에 면접장에서 보니 바짝 긴장하여 얼어있는 모습들에 짠한 느낌이 들었다.

퇴직 후 '어세서'로서 대전 수자원공사 신입직원 채용, 천안 지식경제부 산하 모 기관의 승진자 평가, 울산 산업안전공단 경력직원 채용 등 전국을 다녔다. 면접이 주로 연수원에서 진행되기 때문에 그곳에서 숙박하며 핸드폰을 반납하고 인재를 선발하는 임원 면접을 주로 수행했다. 제주도에 있는 삼다수를 생산하는 제주개발공사 면접도 보람이 있었다. 제주에서 외지로 나가지 않을 인재를 선발하는 것에 특히 주력했다. 여행을 다녀오는 것처럼 바람을 확실하게 쐬고 올 수 있었다.

그러나 외부 면접제도가 확대되는 동시에 전문 면접관에 대한 보상이 점점 낮게 책정되기 시작했다. 제도 변화의 폐해로 '어세서' 자질은 급격하게 하락했다. 결정적으로 AI 면접이 도입되자 경험 많은 '어세서'들은 시장을 떠나기 시작했다. 머리를 까맣게 염색하고 다니던 내가 염색을 중단하자 내게 오는 면접 의뢰도 점차 줄기 시작했다. 코로나가 시작되자 '어세서'도 마무리했다. AI나 머리 염색의 문제가 아니었다.

피렌체 여행에서 돌아와 잠시 휴식을 취하며 겨울을 보냈다. 이듬해 불광동에 새로 개관한 서울시 50플러스재단으로 나가기 시작했다. 오래 생각하던 사회 공헌 활동의 한 가지 방법인 모더레이터라는 직책으로, 퇴직 또는 인생의 전환기에 있는 50대에서 60세 중반 연령대의 시니어를 지원하기 위한 기관에서 커뮤니티를 지원하고 육성하는 역할이었다.

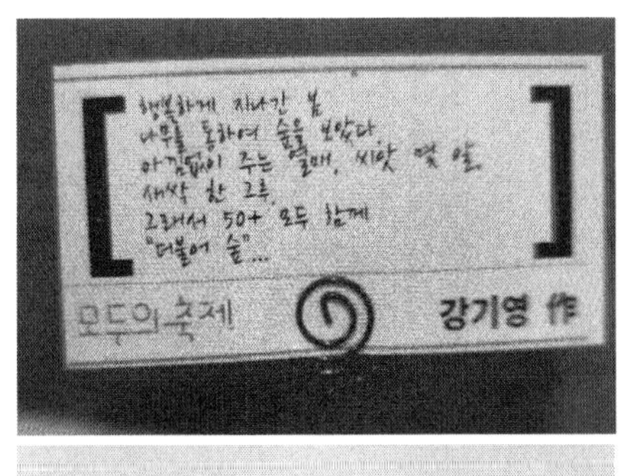

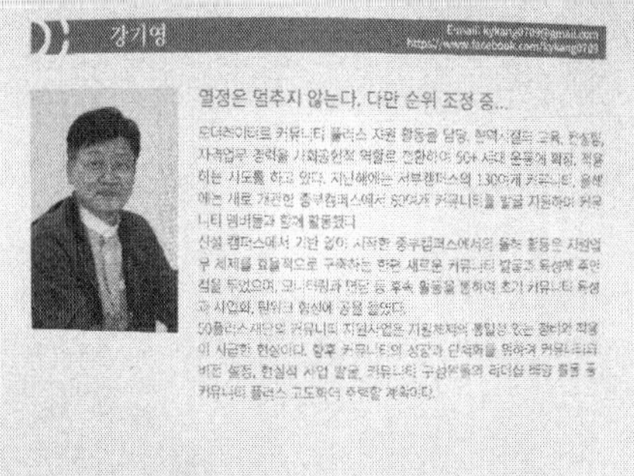
강기영

열정은 멈추지 않는다. 다만 순위 조정 중...

KPC에 근무하며 역량을 개발한 인재육성업무의 전문성을 신설 기관에 이식하는 일은 보람 있었다. 틀이 전혀 갖추어지지 않은 조직에서 하나씩 설득하여 새로운 시스템을 만드는 것이 쉽지는 않았다. 당시 주요 실무자들은 서울시장이 직접 임명하거나 천거한 또는 시민단체에서 그들의 운동 방식으로 성장한 인사들이었다. 과거 기업이나 정부 조직의 사람들과는 달리, 탁상공론에 말만 번성하고, 몸으로는 책임을 살살 피해 다니는 방식에 충돌하는 일도 빈번했다.

사무실에서만 머무르지 않고 활동 현장을 직접 따라 다녔다. 모더레이터가 나타나면 활동가들은 먼저 경계한다. 그러나 이내 무장을 해제하고 함께 어울릴 수 있었다. 봉산탈춤을 배우는 커뮤니티 현장에 나간 적이 있었다. 강사가 춤사위를 교정해주는 동안 뒤에서 내가 장구채를 직접 잡고 장단을 치기 시작하자 모두 손뼉을 치더니 신나는 연습이 본격적으로 시작되었다. 입으로 흥얼거리는 구음과 추임새를 더해서 타령장단에서 휘모리장단으로 넘어가자 너나할 것 없이 흥이 오르기 시작했다. 오랜만에 나도 여러 명이 함께 돌며 춤추는 연풍대를 춤춰 보았다. 집으로 오는 길, 모든 관절이 욱신거렸다.

첫 해 활동을 마치자, 다음 해 신설되는 공덕동 중부캠퍼스로 옮겼다. 경험자의 손길이 필요하다해서 교육개발과정을 자문하는 기획자문위원과 모더레이터를 함께 했다. 중부캠퍼스는 서부캠퍼스보다 훨씬 개방된 분위로 즐겁게 일을 할 수 있었다. 커뮤니티 지원팀을 늘렸고 활동도 충실하게 지원했다. 커뮤니티를 지나 협동조합으로 성장한 단체도 생겨났다. 가치 있는 활동을 지속하는 단체도 늘어났다.

퍼실리테이션을 계속 진행했다. 대화에 익숙하지 않은 50+들은 모더레이터들의 리드와 조력을 받으면 성장 속도가 더욱 높아진다. 백여 가지 넘는 퍼실리테이션의 기법을 습득하고 정리하여 개별적 상황에 맞는

'사람 책', '월드 카페', '렛츠', '이그나이트', '타운홀 미팅' 등을 교육하고 직접 진행했다. 아울러 'OST(오픈 스페이스 테크놀러지)', '스프린트', '디자인 씽킹' 등도 50+에 도입했다. 커뮤니티 소개 책자인 『우리가치』도 발간했다. 또한 50플러스재단 활동외에 외부 기관 강의와 퍼실리테이터 일을 병행했다.

▶ 교육공무원 4, 5급 정책리더 교육 파주 율곡연수원 2019.6.10

▶ 경기 4, 5급 정책리더 교육 이천 경기도교육연수원 2019.6.3

▶세계한인무역협회주관 수출새싹기업지원교육 대전 KT연수원 2018.4.2

▶ 서울50플러스재단 신규 PM교육 2021.11.3

▶50+ 음악특집 방송 조은아 경희대 교수 초청 유튜브 방송 진행 2020.11.13

▶ 서울시 보람일자리 성과 공유회 거구장 2017.12.15.

연말에는 서울시 사업의 일환인 보람 일자리 성과공유회의 사회를 맡았다. 첫해에는 신촌 거구장에서 500여 명이 참석한 가운데 재미있는 사회로 1년간의 사업을 마무리 했다. 다음날 캠퍼스엘 나가니 모두 알아

보며 반가워했다. 이듬해에는 규모를 키워 서울 시민청에서 전문 여성 아나운서와 공동 진행을 했다. 그다음 해에는 코로나로 행사가 취소되었다. 고선주 관장, 조한종 팀장, 문혜란 PM, 탁율민 PM과 호흡이 좋았다.

어느덧 오십플러스재단 활동이 사 년이 지나가고 있었다. 재단 대표이사로 노동운동 경력을 가진 전직 비례 국회의원 출신이 취임했다. 성추문 의혹을 받던 서울 시장이 자신의 운명을 따로 선택했다. 대표이사는 활동가들의 SNS에 전임 시장의 문상을 요청했다. 지나가려니 했는데 다시 글이 올라왔다. 대표이사가 그러니 간부들도 문상을 다녀온 글을 올리고 조문 참여를 압박하는 느낌을 받았다. 반박의 글을 올렸다. 정치적인 내용의 강요는 부당하다는 확실한 경고를 날렸다. 반박 글도 올라왔지만, 호응의 글이 훨씬 많이 달렸다. 몇 분은 개인적으로 대신 말해줘서 고맙다고 전하기도 했다.

해가 바뀌어 새로 신청한 모더레이터 선발에서 탈락했다. 누군가 보복적으로 실행한 행위라고는 믿고 싶지 않았다. 한 달 후 마포노인복지관에서 근무하는 시니어 상담사업의 컨설턴트로 지원했다. 이랜드의 적극적인 후원으로 운영하는 기관이어서 50플러스에서는 선발권을 가지고 있지 않았다. 형편이 어려운 노인과 독거노인들을 상담하고 현장 방문을 병행했다.

[오십플러스가 어떤 진영이든 에코 챔버가 되는 것을 경계합니다.]

■ 부러진 자

前이자 故 서울시장께서, 자신이 올곧은 자(尺)라고 우겨 그런 줄 알고 있었습니다. 그가 2007년 개그맨 전유성, 갈가리 박준형과 함께 펴낸 "고속도로 통행권에 복권을 붙이면 정말 좋겠네"라는 책이 아직 제 서가에 있습니다. 책속에 훈데르트 바서 학교의 모토인 "자연에 직선은 없다"를 인용한 글을 보고 공감했던 기억과 함께.

후일 우연히 그가 서울시청에 만들어 놓았던 서가의 스크랩 바인더를 몇 개 뽑아보고 피식 실소가 나왔습니다. 홍보된 외형과 달리 수집 정리된 내용의 빈약함을 미루어 짐작해 보니 어쩌면 곡선자겠구나 생각했습니다. 그런데 저는 잘못 알고 있었습니다. 이제 보니 부러진 자였던 걸요.

지금쯤은 카론의 배에 실려 비통의 아케론강을 이미 건넜겠습니다. 망각의 강 레테의 강물을 마시고 기억을 소거 당해도 이승의 마지막 비겁한 선택은 영원히 소멸하지 않습니다. 그렇게라도 인간들은 리처드 도킨스의 "만들어진 신"과는 달리 우리 모두와 후대를 위해 이 땅의 질서와 염치를 만들어 가야만 합니다.

단테는 신곡을 통하여 자살한 영혼들은 인페르노 제7원의 둘째 둘레로 간다고 말합니다. 자신의 육신을 스스로 저버린 죄로 나무가 되어 갈색 피를 흘리는 벌을 받다가도 가끔 여자 머리에 독수리 몸을 가진 괴수 하르피이아에게 쏘이는 더 큰 고통을 받게 됩니다. 입관 시에 선사 말씨를 채우라는 조롱까지 받았다니, 어쩌면 색욕에 빠져 주변 사람들을 괴롭힌 자들이 가는 제2원 인페르노에서 칠흑 같은 밤 어둠속에서 폭풍우에 휩쓸려 다녀야 할 수도 있을 겁니다.

그러나 역설적으로 자신이 하찮았다고 생각하는 행동에 스스로 사회에 울린 경종의 파급 가치를 생각하면 그의 앞길이 다소라도 평안하길 바라봅니다. 다만 그가 남겼던 말대로 익명으로 남은 비통한 피해자들이 불쌍한 개구리 처지들이라면, 조문을 하시는 한 분 한 분께서는, 신뢰를 오히려 악용당한 힘없는 주변 피해자의 피 멍든 가슴에 돌 한 개씩을 다시 던지시는 건 아닐까요. 그렇다면 우리의 인성은 악마의 본성과 어슷비슷할 수밖에 없을 겁니다.

통한의 사죄를 받을 길 없는 피해자들에 대한 깊은 연민의 묵상을 마치고 나니 더더욱 어지러운 소리가 들립니다. 시민 세금으로, 정의롭지 못한, 그것도 오일장씩 치르다니요? 그의 과거 행적을 부정하는 것도, 사적 추모를 하지 말라는 것도 아닙니다.

외신 보도들과 코로나로 한껏 올렸다는 국격이라는 것, 그리고 내 편만을 위한, 내게 좋았던 것들만 선택적으로 취사하는, 그렇게 결과적으로 작용하게 되는 타인에 대한 광기가, 부러뜨린 자처럼 참으로 부끄럽고 황망한 저녁입니다.

사회공헌을 하는 동안 취미 목공을 했다. 특히 코로나 기간에는 한해동안 암체어를 만들었다. 물푸레나무로 만든 의자 2개에 자주 걸터 앉는다. 남대문 쪽방촌을 비롯한 무료 가구 나눔을 여러차례 해드렸다.

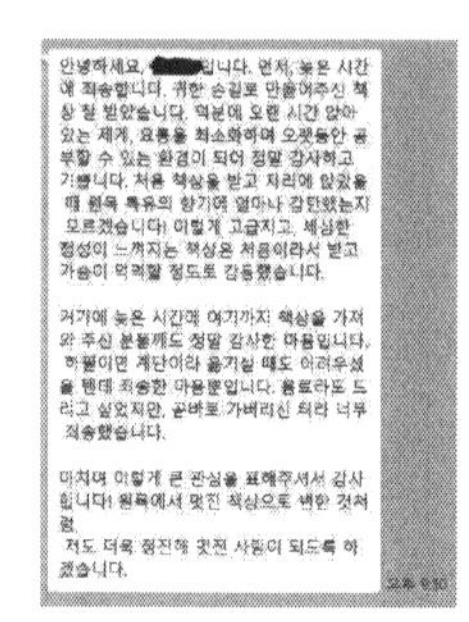

안녕하세요, [illegible]입니다. 먼저, 늦은 시간에 죄송합니다. 귀한 손길로 만들어주신 책상 잘 받았습니다. 덕분에 오랜 시간 앉아 있는 제게, 요통을 최소화하며 오랫동안 공부할 수 있는 환경이 되어 정말 감사하고 기쁩니다. 처음 책상을 받고 자리에 앉았을 때 원목 특유의 향기에 얼마나 감탄했는지 모르겠습니다! 이렇게 고급지고, 세심한 정성이 느껴지는 책상은 처음이라서 받고 가슴이 먹먹할 정도로 감동했습니다.

거기에 늦은 시간에 여기까지 책상을 가져와 주신 분들께도 정말 감사한 마음입니다. 하필이면 계단이라 옮기실 때도 어려우셨을 텐데 죄송한 마음뿐입니다. 음료라도 드리고 싶었지만, 곧바로 가버리신 터라 너무 죄송했습니다.

마치며 이렇게 큰 관심을 표해주셔서 감사합니다! 원목에서 멋진 책상으로 변한 것처럼,
저도 더욱 정진해 멋진 사람이 되도록 하겠습니다.

65세가 되자 일명 '지공 거사' 증명이라는 지하철 무임승차 교통카드를 발급받았다. 6년 여간 나만의 방식으로 사회공헌을 해 왔던 50플러스재단에서 떠나는 순간은 그렇게 무심하게 다가왔다. 전언에 의하면 대표이사 김모 씨는 어느 날 잠적했단다. 며칠 뒤 그 역시 성추문 의혹으로 대표이사 사직원을 제출했다고 했다.

안장식

탕! 탕! 탕!

국립서울현충원 충혼당 마당에서 예총 3발이 발사되었다. 허공을 가르는 총소리는 하늘로 길게 퍼져 나갔다. 안장식은 분향 후 재배 순으로 군더더기 없이 간결하게 마쳤다. 각 잡힌 제복을 입고, 영정과 유골을 모신 병사들이 강당 밖으로 천천히 행진해 나갔다.

멀리 한강이 손아귀에 잡힐 듯하다. 푸름을 잃어버린 잔디 위에는 묘비들이 열 지어 서 있다. 겨울 잿빛 하늘은 더욱 낮아졌다. 푸드덕 산비둘기 날아오르며 진눈깨비 몇 가닥 흩어진다.

부모님은 동작동 국립서울현충원 충혼당 3층에 함께 자리 잡으셨다. 드디어 아버지는 칠 년 여전 앞서 보내드렸던 어머니와 해후하시고...... 이승에서처럼 서로 반가우실까? 불현듯 죽음이 갈라놓는 많은 것들을 다시 생각하게 한다. 도심에서 단지 몇 걸음만 비켜 들어오면 이렇게 적막하다. 스산한 계곡 안에는 우리가 떠나보낸 죽음들이 도처에 가득

한데...... 우리는 부산스러운 저잣거리에서 조급증을 내며 살아간다. 서로 조금씩 부딪히며 종종걸음 내닫으며 살아간다.

아버지는 집 앞에 있는 신촌연세병원에 딱 한 달 입원하시다 큰 병원으로 전원을 통보받았다. 신촌 집에서 여의도성모병원 응급실로 이송되는 앰블란스에 함께 탔다. 어머니를 보내드릴 때에도 태능 집에서 원자력병원으로 가는 앰블런스에 타고 갔었다. 차는 한산한 서강대교를 달려 순식간에 병원에 도착했다. 주치의는 마지막 길을 큰 고통이 없도록 신중하게 안내했다. 가족들은 차분하게 임종을 지켜보며 아버지를 보내드렸다. 보훈처에서 국가 유공자에게 주는 대형 태극기를 보내왔다. 태극기에 쌓여 아버지는 길을 떠나셨다.

안장식을 마치고 집에 들어와, 아버지 방 도어 손잡이에 손을 대지 못하고 잠시 문 앞에 고개 숙인 채 머물렀다. 기침 소리도 가볍게 들리는 듯하고 그저 침대에 조용히 누워 계신듯하다. 그런데 이제 "진지 드세요.", "목욕가세요.", 이런 말, 할 수 없을 터. 얼마 지나지 않아 아흔 넘어 가신 아버지의 부재는 곧 일상으로 받아들여졌다.

아버지, 어머니. 이승에서 고단함 모두 내려놓으시고...... 살아서는 갈 수 없는 이북 땅 고향도 자유롭게 다녀오시며...... 이제 편히 쉬세요.(2016.12.25.)

祝

오늘 내가, 내일 나에게

코로나 다이어리

2022년 9월 29일, 목이 칼칼하고 얕은 기침이 가끔 올라온다. 외출하는 길에 종합 감기약을 한 통 샀다. 약사의 말은 "요새 감기 환자가 많아요". 귀가해서 초저녁부터 잠이 들었다. 온몸이 욱신거리고 목도 따끔거리며 기침도 좀 더 심해졌다. 저녁 수영은 빠졌고 밤 내내 자다 깨기를 반복했다. 여느 감기와는 좀 다른 증상이었다.

다음 날 아침에 일어나니 생각보다 몸은 가볍다. 코로나19 자가진단 키트로 검사했다. 줄이 하나 보인다. 음성이 나왔다. 다행이지만 불안했다. 지하철 편으로 신촌에 외출했다. 잔기침이 나오다가 몸에 힘이 빠져나가고 심한 기침과 함께 가래가 올라온다. 오후에 귀가하다가 서대문 보건소에 들러 검사를 했다. 유리장 속에서 두 팔만 내민 검사원은 내 콧속을 순식간 찔러서 검사를 마쳤다. 저녁에 잠시 누웠다가 저녁을 먹고 비몽사몽간에 또 하룻밤을 보냈지만, 어제보다 약간 편안한 밤.

10월 1일, 아침 잠자리에서 눈을 비비며 핸드폰 문자를 여니 지난 새벽 12시 16분에 도착한 문자가 보인다. 제목은 "제목 없음". 코로나 확진으로 감염예방법 제41조, 제43조 등에 따른 격리 대상자란다. 집안은 갑자기 부산스러워졌다. 이미 채린이 한번 감염되었기 때문에 비아 씨와 나는 비교적 차분하게 대응한다. 화장실이 딸린 안방을 내가 사용하기로 하고 노트북과 책 몇 권을 옮겼다. 소독약을 스프레이 통에 담아서 뿌리고, 비닐장갑, 마스크, 물통, 별도의 쓰레기통, 옷가지 수납 봉투를 마련해 방으로 옮겼다.

아침에 나타나는 개략적 증상으로는 목구멍이 칼칼하고 기침이 자주 나온다. 가래가 목에서 왈칵 올라와 구토할 듯 불편하다. 묽은 콧물이 나오고 미열이 있고 온몸 뼈마디가 욱신거리는 증상이 나타난다. 약 처방을 위해 김 이비인후과에 전화했다. 전화를 받은 직원은 그냥 오라고 한다. 예약도 필요 없으니 그저 마스크만 잘 쓰고 오란다. 철저한 자가 격리라는 단어와 현실은 경계가 대체로 모호하다.

나보다 더 나이 먹어 보이는 의사는 친절하다. 나이가 있으니, 증상을 잘 관리하지 못하면 후유증이 걱정되니 미지근한 물을 많이 마시고 휴식을 잘 취하란다. 나이를 고려해 팍스로비드와 진해거담제를 처방받았다. 먹는 치료제는 두 가지가 있는데 내게는 화이자에서 개발된 팍스로비드가 처방되었다. 사망과 중증 진행을 89%가량 줄여준다는 이 약은 12시간 간격으로 식사에 상관없이 5일간 하루 두 차례 3알씩 복용한다. 팍스로비드 1박스는 약 530달러로 대략 62만 원이지만 정부에서 부담

한다. 간만에 국가의 혜택을 확실하게 받는 느낌이 든다. 팍스로비드는 하루분씩 별도로 포장되어 있다. 분홍색 "니르마트넬비르" 2알, 흰색인 "리토나비르" 1알. 아울러 기침감기약, "뮤코세린캅셀", 진통제 "타라셋정", 위장약 "동광레바미피드정" 진해거담제 "코대원포르테시럽". 병원 건물 1층 솔약국에서는 소독용 에탄올 스프레이 함께 샀다. 약사는 소독약은 절대 희석해 사용하지 말라는 주의를 준다. 진료비 4,200원, 조제비 5,100원 소독약 8,000원.

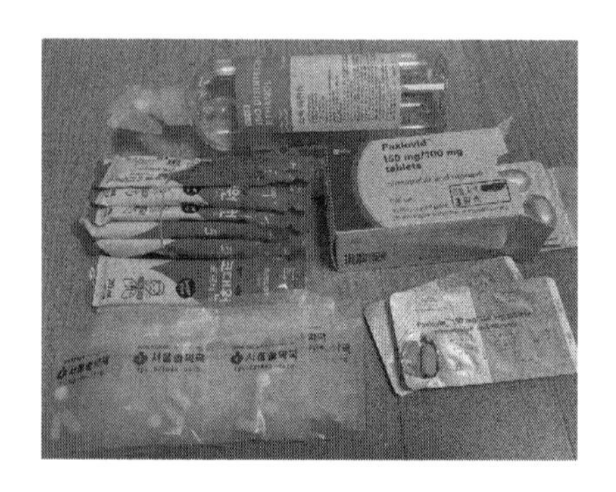

집에 돌아오는 길. 일부러 천천히 걸어오다 보니 길가 풀숲에 손톱만 한 하얀 꽃이 보인다. 줄기에는 까마중 열매가 새까맣게 익어가고 있었다. 바쁘게 다닐 때는 눈에 보이지 않던 사물들. 열매 한 알 비틀어 따서 혀끝에 대어 보니 아리며 단맛이 묻어나온다. 참 오랫동안 잊고 살았던 개구쟁이 시절 기억이 떠오른다. 이제부터라도 가끔은 아주 느리게 주위를 찬찬히 돌아보고 또 자주 멈춰가며 걷기로 마음먹는다.

병원과 약국을 다녀와 이제 본격적으로 격리에 들어간다. 채린이 포장해 온 커피를 방안으로 넣어주었다. 11시경 보건소에서 전화가 왔다. 격리장소를 확인하고 키, 몸무게와 함께 동거인의 연락처를 확인했다. 지극히 사무적으로...... 참치김밥으로 점심을 했다. 말 그대로 비자발적 혼밥이다. 밥 알갱이를 한 톨 한 톨 씹으며, 먹기 명상처럼 식재료가 내게 온 근원을 생각하고, 농부들과 음식을 조리한 사람의 노고를 생각하고, 김밥을 포장해온 아내와 딸에게 깊이 감사했다. 내 오감 속에서 음식의 향과 맛을 느껴가며 길고 오랜 점심을 했다. 많이 불편한 곳은 별로 없다. 단지 시간이 참 더디게 흘러간다고 생각했다.

팍스로비드를 12시간 간격으로 복용하기 시작했다. 목구멍으로 약을 넘기며 TV를 보니 국군의 날 행사를 중계한다. 강력한 무기 체계와 멋진 블랙이글팀 고공 점프 뒤 정확하게 착지하는 특전사 여군들. 하지만 대통령은 "부대 열중쉬어"도 제대로 하지 못한 채 행사를 치른다. 본인이나 관계자들 모두 딱하다. 국민은 불안하다. 밤에는 좀 일찍 잠이 들었다.

10월 2일, 밤에는 목 안이 따끔거려서 여러 차례 잠에서 깨어 물을 마셨다. 아침에 일어나 창문을 여니 하늘이 잔뜩 흐렸다. 기침은 좀 덜하고 이마에는 가벼운 통증이 느껴진다. 집중이 잘 안되지만 온종일 온라인 강의를 듣고 가벼운 음악도 켜 놓았다. 불과 하루 만에 날짜와 시간 감각이 흐려진다. 오후에는 창밖에 비가 왔다. 잠시 창가에 흘러내리는 빗방울을 바라보며 서 있었다. 밤에는 아들과 통화했다. 이참에 좀 쉬어가라는 수화기 너머 걱정이 묻어나는 듯해서 오히려 미안한 느낌이 들었다. 외출했던 채린이 "도이퉁"이라는 태국산 드립백 커피를 가져와 반 잔 쯤 마셨다. 베트남 커피처럼 로부스타인가 했는데 썩 훌륭한 아라비카 커피였다. 드립백이니 향미를 말할 것은 없지만 나쁘지 않았다. 몸의 전체적인 컨디션은 좋지 않지만, 서서히 회복되는 느낌이 든다.

감염 통보 문자를 본 순간 언제 어디에서 감염되었을까를 생각하며 잠시 당혹스러웠다. 게다가 격리를 마칠 때까지 손을 놓아야 하는 일들이 머리에 떠오르니 갑자기 혼란스러워지기 시작했다. 아무에게나 일어나는 인간사들이 내게만 일어나지 않으리라 기대하는 것은 지극히 어리석은 생각일 뿐이다. 양극단은 아닐지라도 평균 이쪽저쪽이면 그것 역시 올바른 것이다. 내일부터는 꽤 오랫동안 게으름을 피웠던 명상을 다시 하기로 한다.

전직 프로레슬러 안토니오 이노키가 어제 별세했단다. 어릴 때 역도산과 김일. 자이언트 바바는 아이들의 힘을 불끈거리게 만드는 우상이었다. 그가 무하마드 알리와 치른 대결에서 링 바닥에 드러누워 15라운드를 뭉기적거린 끝에 얻어낸 무승부. 그리고 그 대가로 받아낸 파이트머니 180억원을 보고 조롱하면서도 내심 부러워했다. 하지만 세월이 지난 뒤 그의 시도는 이종격투기의 원조가 되었다니 함부로 무엇을 판단해서는 안 된다는 생각이 든다. 격리 중에도 세월은 흘러간다.

다음 날 아침에 일어나니 창유리에 빗물이 흘러내리고 있다. 바깥세상은 월요일이니 활발하게 움직이기 시작했을 것이다. 갑자기 방안 모습이 낯설다. 방문 밖에서 비아 씨의 낮은 기침 소리가 가끔 들려온다. 와락 걱정이 든다. 비슷한 증세가 계속되며 시간이 느리게 흘러간다. 증세는 마찬가지인데 헛구역질과 구토가 나려 한다. 몇 번을 울렁거리는 가슴을 쓸어내리다가 구토를 몇 차례 했다. 쓴물이 입안에 고이고 심하게 불편하다.

늦은 밤 거실로 살살 나와서 책 한 권을 빼서 방으로 들어갔다. 포르투칼의 용접공 출신으로 노벨상을 받은 주제 사라마구의 『눈먼 자들의 도시』. 코로나 초기에 읽었었다. 줄 바꿈 없이 쉼표와 마침표를 제외한 문장부호도 전혀 사용하지 않는 독특한 문체였다. 처음에 읽기 어렵지만 익숙해지면 오히려 상상과 해석이 자유롭다. 눈이 우윳빛으로 멀어버리는 전염병이 어느 도시 전체에 퍼지는 황당한 설정이다. 환란으로 사회체제가 붕괴하고 야수로 변하는 인간의 광기를 묘사한다. 코로나 역시 그 소설 속 연장선 어디에 있는 것은 아닐까. 영화로도 다시 한 번 시청했다. 영상은 소설보다 경악과 공포를 더욱 클로즈업해 보여준다. 다음 날엔 『눈뜬 자들의 도시』를 읽었다. 또 그 다음 날엔 『이름 없는 자들의 도시』를 마저 읽어 나갔다.

10월 5일, 오늘이 벌써 수요일이다. 내일 만날 약속을 해두었던 친구 인웅에게 전화했다. "아무렴, 다음에 보면 되지. 건강해라" 걱정스런 목소리에 위안을 좀 얻는다. 김동길 박사가 별세하셨단다.

10월 6일, 점차 나아진다. 책도 좀 읽을 만하다. 막상 책을 펴드니 또

머리가 아프다. 다음 날 아침에 일어나니 가벼운 두통 증세가 있고 기침이 나온다. 이비인후과에 들러 진해거담제와 기침약 5일분을 추가로 처방받았다. 집 앞을 걸어 나오는데 공사 중이던 소공원 앞에 커다란 나무들을 실어다 놓았다. 봄에 공원 부지를 정리한 뒤 그대로 방치되던 곳에 이제 손을 대려나보다. 이것도 일주일 만에 변화. 의사의 조언대로 상피세포가 재생될 때까지 처방된 진해거담제를 모두 복용했다. 격리를 벗어나 서서히 일상 속으로 다시 걸어 나온다. 갑자기 어두운 터널로 휩쓸려 들어갔다가 햇빛 속으로 다시 나아가는 느낌이 든다. 이럴 때 내 의지는 아무 데에도 없다.

인왕산에 올랐다. 북악산이 훌쩍 다가오고 멀리 보이는 한강도 기울어 가는 태양의 역광 속에 유난히 빛난다. 시내 쪽을 내려다 보니 정부 세종로 중앙청사와 외교통상부 앞쪽으로 KPC 건물이 보인다. 불현듯 그곳이 궁금해진다. 9층은 어떨까. 6층, 11층, 12층 그리고 옥상, 게다가 지하상가와 주차장은? 그곳 사람들은 모두 어떻게 살아가고 있을까? 다시 천천히 하산을 시작했다. 이젠 완치다.

하지만 또 한 번, 이번에는 비아 씨와 함께 사이좋게 코로나에 재 감염되었다.

커피 홀릭

내가 마신 첫 커피는 C-레이션, 즉 전투식량에 포함된 인스턴트커피였다. 아버지께서는 베트남전에 참전한 한국군 호송장교로 베트남을 여러 차례 왕래하셨다. 주로 부산항에서 청룡부대, 백마부대 등 전투 병력을 나트랑이나 호찌민으로 호송하는 임무를 수행하셨다. 베트남에서 가끔 집으로 화물을 보내셨다. 어머니와 나는 큰길 건너 고물상 주인에게 리어카를 빌려서 소사역으로 끌고 갔다. 화물을 찾아 리어카에 싣고 집으로 터덜터덜 돌아왔다. 두터운 베니어합판으로 만들어진 박스 안에는 릴 테이프 녹음기나 라디오, 연필깍이 같은 미제 물건들이 잔뜩 들어있었다. 어머니는 일부 전자제품을 팔아서 살림에 보태셨다.

화물 박스 속에는 군용 전투식량인 C-레이션 종이 상자가 여러 개 들어있었다. 그 속에는 캔 통조림, 버터, 커피, 설탕 등 먹을 것들이 가득했다. 맛이 좋은 것도 있고 가끔 이상한 맛의 처음 보는 신기한 먹거리들도 들어 있었다. 어머니는 동네 아주머니들을 안방으로 불렀다. 뭔지 모르는 국방색 캔과 초콜릿 등을 조금씩 나누어 드렸다. 그리고 큰 양은 주전자에 물을 팔팔 끓여서 커피를 탔다. 모두 둘러앉아 고개를 갸웃거리며 진지하게 마셨다. 설탕을 잔뜩 넣어서 단맛으로 마신 커피였다. 쓰고도 단 커피는 탄 맛 나는 누룽지로 만든 숭늉과는 완연히 다른 특별한 음료였다. 후루룩거리며 커피를 사발로 들이켰던 이웃들은 다음 날 우리 집으로 다시 모여들었다. 커피를 마셔서 밤에 잠을 못 이루었다며 깔깔대며 재미있어했다. 소금을 설탕으로 오인해서 커피를 타는 데 실패한 적도 있었다. 집안의 기둥으로 장남인 나 역시, 국민학교 시절이라 영어를 접한 바 없어, 포장지에 쓰인 'suger'와 'salt'를 구별치 못했으니까. 그래도 찝찔하고도 달큼한 커피를 버리지 않고 다 마셨다. 왜냐고, 커피란 귀한 것이었고 아버지가 애써 보내주었으니까. 그렇게 설탕의 단맛으로 마시는 커피는 야금야금 우리 집에 스며들었다.

내게 가까이하게 된 커피는 술을 좀 덜 마시기 위한 수단 중 하나였다. 1차, 2차, 노래방, 입가심의 4중주 음주 패턴에서 중간에 커피를 끼워 넣으면 다음 날 아침이 덜 부담스러웠다. 노래방 대신 커피를 마시면 정신을 좀 차린 다음 귀가가 가능하다. 게다가 커피는 공감과 소통의 도구로 음주를 능가하는 쓸모가 있었다. 처음에는 직원들이 싫어하는 줄 알았는데, 알고 보니 내심 커피 타임을 더 좋아했단다.

술자리를 커피로 대체하면서 원두를 사다가 집에서 핸드드립을 시작했다. 처음에는 요령을 잘 몰라서 청담동에 있던 '커피미학'에서, 업소에서 사용하는 큰 용량의 주전자와 드립퍼, 서버, 필터를 꽤 비싸게 주고 구입했다. 가정에서는 큰 도구들이 불편해서 이내 1~2인용에 적절한 도구들을 찾아내 다시 구입해 사용하기 시작했다. 원두에 대한 관심이 늘어나며 비아 씨와 함께 '압구정동 커피 볶는 집' 허형만 대표의 커피 강의를 수강했다. 점점 커피에 '인'이 박이기 시작했다. 부암동에 있는 '클럽 에스프레소'를 단골 삼았다. 마 사장은 커피에 관한한 감각이 좋았다. 그곳에서는 후일 '문브랜드'라는 커피가 탄생했다. 콜롬비아, 브라질, 에티오피아, 과테말라를 3:3:2:2로 혼합하는 블렌딩을, 노무현 대통령의 비서실장을 맡고 있던 문재인 전 대통령이 4:3:2:1로 주문했다. 후일 '대통령의 커피'라는 상업적 명성은 그리 특별한 배합은 아니었다. 전국 로스터리에서 보통 섞어서 판매하는 일반적인 레시피 가운데 하나였다. 다만 유저가 유명해졌을 뿐.

단국대학교 사회교육원에 개설된 커피전문가과정을 비아 씨에게 권유했다. 회사가 늦게 끝나는 나는 수강 불가였다. 2004년 가을 학기에 등록했다. 한국 커피 초창기 전문가는 보통 '쓰리박 원서'로 일컫는다. 박이추, 박원준, 박상홍 그리고 서정달 선생이 바로 그들이다. '1세대 커피 명인'으로 존경받는 박이추 선생께서 주관하여 전광수, 권대옥 등 당시 탑 클래스의 커피 전문가들이 야간과정으로 한남동 단국대학교에서 강의했다. 회사 업무가 끝난 후 야간 교육을 마치는 시간쯤에 퇴근해 차를 운전해 비아 씨를 픽업하러 갔다.

어둠컴컴한 복도에서 강의실을 들여다보는데 박 선생님과 눈이 딱 마주쳤다, 들어오라고 손짓하신다. 수강생들이 지켜보는 가운데 비아 씨와 같은 집에서 사는 사람이라는 내 소개를 했다. 뒷자리에서 커피를 얻어 마시며 수업을 참관했다. 깔루아로 믹스한 커피, 위스키에 불을 붙여서 제조하는 '로열 커피'를 소개 받았다. 박 선생께서는 커피에 관심 있다면, 또 커피를 제대로 하려면, 일본에 직접 가서 학원에서 커피 공부하라고 간곡하게 말했다. 우리나라에는 제대로 된 커피 교육기관이 거의 없던 시절이었다.

박 선생께서 강원도 강릉시 연곡면 홍질목길로 카페를 옮긴 직후 '보헤미안 박이추 커피'를 찾았다. 손님은 많지 않았으나 박 선생님은 분주하게 로스터를 돌리고 계셨다. 펜션 손님을 받으며 커피를 내리고 계신다고 했다. 진한 보헤미안 블랜드를 한잔하고 창 너머로 보이던 평범한 해변을 산책했다.

바닷가 식당에서 저녁을 하고 펜션에서 하룻밤 묵었다. 다음 날 아침 돌아오려는데 사모님께서 도시락을 수줍게 건네주신다. 정성이 가득 담긴 앙증맞은 일본식 도시락이었다. 좁은 산길을 빠져나와 차가 보이지 않을 때 까지 두 분께서 계단 앞에 나란히 서서 손을 흔들어 주셨다.

그 사이 강릉은 이제 누구나 인정하는 커피의 도시가 되었다. 이탈리아에는 '커피의 수도'라고 불리는 '트리에스테'라는 해안 도시가 있다. 베네치아에서 멀지 않은 곳으로 일리커피 본사가 있다. 그 도시의 연간 커피 소비량은 이탈리아 다른 지역의 두 배쯤이란다. 강릉은 한국의 '트리에스테'이다. 강릉 커피라는 네이밍과 강릉 커피 축제 성공의 일등 공신은 박 선생님이라고 모두 동의한다.

지난해 가을 아들 내외와 딸과 함께 보헤미안을 찾았다. 김용덕 대표의 테라로사 본점을 들렀던 길이었다. 커피를 마시려는 손님들의 대기 줄이 계단을 돌아 꽤 길었다. 선생께 인사를 드리자, 옛 제자를 반겨 바에서 나오셨다. 이십년 세월이 흘러 이제는 머리색이 희끗해진 비아 씨와 박 선생님이 함께한 사진 한 장을 스마트폰에 담았다. 카페를 울진으로 또 다시 옮기고, 라오스 커피 농장에도 진출하실 계획이라는 박 선생님의 건강과 행복을 진심으로 기원한다.

씨드 투 컵

지금으로부터 딱 10년 전 CJ ENM의 채널인 tvN 드라마 '미생'이 온 국민의 눈과 귀를 사로잡았다. 비정규직이나 갑을관계 같은 불안한 사회현실을 다루어 큰 울림을 주었다. 2012년 시작된 원작 웹툰도 함께 인기를 끌어나갔다. 현실적인 디테일을 사실적인 연출로 세밀하게 그려냈다. 주연이나 조연들의 연기 앙상블도 공감을 배가했다.

내게 닿았던 대사는 장그래의 '그래봤자 바둑, 그래도 바둑'이었다. 재일교포 프로바둑기사 '조치훈' 프로가 했던 말이란다. 대사는 이어진다. "바둑 한판 이기고 지는 거 그래봤자 세상에 아무런 영향 없는 바둑/그래도 바둑, 세상과 상관없이 나에겐 전부인 그래도 바둑/왜 이렇게 처절하게......치열하게 바둑을 두십니까?/바둑일 뿐인데....../그래도 바둑이니까 내 바둑이니까 내일이니까/내게 허락된 세상이니까......"

어느 순간 바둑을 커피로 바꾸어 보았다. 우리 인생이 항상 의미가 깊고 가치가 높아 세상에 도움이 되는 일만 하며 사는 건 아닐지도 모른다. 그래도 내게 주어진 세상에 와서 최선을 다하며 산다는 건, 누구나 지녀야하는 책임감이고 의무가 아닐까. 오늘도 내게 주어진 한 잔 커피를 그렇게 내리고 싶다.

또 '정답은 모르지만 해답을 아는 사람이 있어요. 장그래 씨처럼요.' 이런 말도 큰 울림을 준다. 정답과 해답은 동의어지만 미묘한 차이가 있다. 정답은 답 자체이지만, 해답은 정답에 이르는 풀이와 해설까지 포함한다. 또 다양한 해결 방안을 제시할 수 있다. 인생에 정답은 없다. 설사 정답이 있다고 한들 누구나 정답대로 살아갈 수 없다. 언제 어디서 무엇을 하더라도 해답을 찾아가는 과정이 아닐까.

바둑을 커피로 바꾸고 보니 서가에 책 한 권이 손에 잡혔다. 『A Cafecito Story』(줄리아 알바레스 글, 벨끼스 라미레스 판화, 나무를 심는 사람들, 2001). 바로, 그 책으로 커피에 매혹되었다. 중앙아메리카에서는 이방인 손님들에게 "카페시토"라는 진하고 풍부한 맛의 커피를 작은 잔에 담아 접대하는 전통이 이어진다. 미국 네브래스카 오마하라는 도시에서 도미니카 공화국으로 휴가를 떠난 작가 조는 그늘에서 재배하는 '셰이드 그로운' 방식으로 경작하는 커피 농부 미구엘을 만나고, 그에게 글을 가르쳐 준다. 한편 조는 미구엘에게 커피 농사를 배운다.

미국의 도시 생활에 지친 조는 나무 그늘에서 새들의 노래를 들으며 자라난 특별한 커피를 통해 인생의 난제들을 극복하는 힘을 다시 얻는다.

▶ 『A Cafecito Story』(줄리아 알바레스 글, 벨끼스 라미레스 판화, 나무를 심는 사람들, 2001). p43

100쪽이 채 안 되는 얇은 이 책은 커피라는 음료는 정신적인 갈증 해소에 역할 한다고 주장한다. 다시 말하면 커피가 말과 새와 사람과 거래를 통해 사람들을 이어주고 나라와 나라를 연결하는 과정을 편안한 대화체로 소곤거려 주는 듯 전달한다.

터키식으로 커피를 끓이는 작은 주전자인 '이브릭'을 사용하여 커피 점을 치는 구절도 있다. 도미니카의 커피농장에서는 파치먼트를 "빼르가미노", 가공공장을 "베네피씨오"라고 한다. 삽화로 들어있는 목판화는 힘차고 깊이가 있어 눈길을 오래 머물게 한다. 포트에서 싹이 나 그늘에서 자라고 핸드피킹으로 거둬져 프로세싱되는 커피 생산과정을 묘사한 네 컷 판화는 커피 입문 교재로 보여줄 만도 하다. 커피에 관심을 가지다 보니 화려하고 영롱한 것들도 좋지만, 우리나라 민중 미술 쪽 오윤 작가나 이철수 작가의 판화처럼 무뚝뚝하되 뚝심 깊은 것들에 애정이 더 간다.

경제생활에서 은퇴하고 인생 3막을 연 나는 이제 시니어 바리스타이자, 커피 교육을 하는 트레이너다. 또 바리스타 2급 자격 취득 심사원이다. 커피에 대한 관심으로 우리나라 1급, 2급 바리스타 자격을 취득했다. SCA라는 국제 스페셜티 커피 협회의 바리스타와 브루잉 프로페셔널 자격을 취득했다. 로스팅, 센서리 등 커피 세계의 여러 가지를 공부를 계속했다. 지난해부터 커피 자격증을 처음 취득하고 커피바에서 일하려는 시니어들을 가르친다. 기량이 뛰어나고 이삼십 년이상 커피 관련업에 종사한 전문가도 교육을 잘하지만, 시니어 트레이너는 동년배로서의 친구같이 접근할 수 있는 강점도 있다. 게다가 내 특기는 고객 컴플레인 해소에 능란(?)하다. 또 나는 평생교육사 자격도 있다.

TBS 시민응원캠페인

▶커피를 만들며 시작된 '두 번째 청춘'

실버 바리스타 편 : 강기영 바리스타

COFFEE BREWING LAB

시드 투 컵(seed to cup)이나 빈 투 컵(bean to cup)은 커피가 최종 소비자인 우리에게 오는 과정으로 생산자, 유통업자, 로스터, 바리스타 손을 거친다. 생산국에서 재배, 수확, 가공된 커피가 소비국으로 수출되고, 로스팅과 추출을 거쳐 최종 소비자에게 전달되는 과정을 일컬어 '커피 체인(coffee chain)'이라고 한다.

시드 투 컵이나 커피 체인은 새삼 커피 한 잔의 소중함과 생산국 농부들의 땀을 기억하라는 근원에 대한 헌사다. 커피는 사람인 동시에 상대방에 대한 환대이며 배려다.

마지막 커피

핸드드립으로 홈 카페를 시작한 커피 여정은 2008년 대구에서 새로운 계기를 맞았다. 업무 차 방문했던 경북대학교 산학협력처의 교수가 외지에서 저녁에 술을 덜하려면 아침에 커피교육을 받으라는 말을 건넸다. 경북대 사회교육원에 개설된 바리스타 과정 리플렛을 받자마자 등록했다. '커피명가'의 안명규 대표가 주관하는 과정이었다. 우리나라 커피 2세대 장인인 그는 동서식품 CF에도 출연할 정도로 인정받고 있다. 알고 보니 대구는 차와 커피의 도시였다. 또한 치킨, 커피 등 외식 프랜차이즈도 일찍 전개했던 도시였다. 사무실에 돌아가 직원들에게 일주일 중 하루는 무주일(無酒日)로 선포하고 저녁 약속을 잡지 말 것을 부탁했다.

대구 근무 3년간, 당시에는 수가 많지 않았던 전국 로스터리 카페를 대부분 순회했다. 이른바 '내돈 내산'처럼, '혼자 다니는 우리나라 로스터리 커피투어'. 출장이 많았던 업무 특성상 이동 중에 잠깐씩 짬을 내어 다닐 수 있었다. 무얼하든 밥 먹고 차는 마셔야 하는데 나는 그때 일부러 로스터리 카페를 찾아 다녔다. 누군가 동행하게 되면 커피를 마시며 원두와 추출과 로스팅을 설명해 주면 대부분 흥미를 보였다. 오후 늦은 시간 포항 '아라비카'를 찾았다. 커피 50그램을 사용해 융 필터로 내린 커피는 사약처럼 쓰디쓰면서도 묘하게 달콤하고 그윽했다, 커피를 다 마시고 다음 날까지 배를 쓸어내리며 다녔다. 경주의 '슈만과 클라라'도 경주보문단지에 콘도나 호텔 등 연수원에서 공무원 혁신교육을 하면 대구로 돌아오는 길에 자주 들렀다. 상주시청에 교육 협의차 방문하면 나오는 길에는 '커피가게'라는 상호의 커피가게를 꼭 들러 원두도 사왔다. '비미남경'이 이대 앞에 있을 때 이동진 사장이 블루마운틴을 권했다. 호기심에 볶았는데 팔리지 않아 50% DC란다. 그래도 다른 커피 세 잔 값이었다. 한 잔 주문했다.

'중독자의 커피'라는 브랜드를 대놓고 사서 마시던 부암동 '클럽에스프레소'도 홍대 앞의 '칼디'도 전 같지 않다. 시청율 28%로 선풍적인 인기를 끌었던 드라마 배경의 '커피프린스'는 사라진지 오래다. 이대 앞을 떠나 미아동으로 옮긴 '비미남경'에 오랜만에 들렀다. 고양이가 쇼케이스 위에 상석을 차지하고 길게 누워 있었다. 박이추 선생님이 떠난 고대 앞 보헤미안은 그 시절 최 실장이 사장이 되어 '라 플루마 앤 보헤미안'으로 다시 개업했다. 공간이 재미있게, 1층과 지하가 단차가 있는 매장에서 '헤밍웨이 블렌드'를 주문했다. 꽃 그림 그려진 잔에 옛날 같은 커피가 나왔다. 또 그 시절 알바 중 한 사람이 '커피 리브레' 서필훈 대표. 얼마 전 대학로 '학림'의 삐걱이는 계단을 밟고 올라갔다. 젊은 커플들이 가득 찼다. 만석이라는 말을 듣고 그대로 돌아 내려왔다.

해외에 업무 출장을 나가도 일부러 커피를 마시러 다녔다. 요리나 파티쉐, 주방용품의 천국이라는 일본 갓파바시의 커피 도구점에 들러 새로운 기구와 커피를 사왔다. 우에노 온시공원부터 걸어가서 상가를 두리번거리며, 다양한 커피와 도구를 구경하면 금방 가방이 불룩해졌다. 이탈리아 체류 시에는 하루하루가 커피와 와인으로 인해 축제 같은 시간을 보냈다. 홀짝이며 에스프레소 싱글 샷을 마시고 또 라떼를 마시면 마음이 편안해지기 시작했다.

이탈리아 중부에 있는 소도시 피우지(Fiuggi)에서 하룻밤 묵었던 적이 있다. 로마 같은 대도시보다 호텔 가격이 싸서 한국인 단체 관광객이 많이 묵게 되는 특색 없는 곳이다. 온천과 피자가 유명하다는 거리를 산책하다가 커피가게가 눈에 들어왔다.

‘카페 파젠다’(Fazenda). 브라질에서 커피 농장을 의미하는 단어다. 원두 로스팅 상태가 좋았다. 에티오피아와 코스타리카를 1kg씩 포장했다. 서비스로 내려주는 에스프레소 싱글 샷은 꿀맛이었다.

이제 세월이 많이 흘러갔다. 카페인의 수면 압박으로 저녁 커피를 생략한지도 시간이 꽤 지나갔다. 북송의 시인 소동파는 '인생도처유청산(人生到處有靑山)'이라에서 했는데 내게는 ‘인생도처유커피’였을 수도 있다. 미당의 시를 인용해 ‘내 피의 팔 할은 커피다’라고 농을 치며 다녔는데……

가슴 한끝이 아려오는 영화 한 편을 보았다. 2021년 칸영화제 경쟁 부문에 초청받았던 『다 잘된 거야』. 에마뉘엘 역의 소피 마르소는 갑작스러운 연락을 받는다. 아버지 앙드레(앙드레 뒤솔리에)가 쓰러졌단다. 뇌졸중으로 반신마비가 온 앙드레는 딸에게 천천히 말한다. “끝내고 싶으니 도와줘.” 스스로 존엄사를 선택한 아버지를 위해 에마뉘엘과 여동생파스칼(제랄딘 펠라스)은 아버지를 떠나보낼 이별을 준비한다.

나이가 들면 자신의 의지대로 할 수 있는 것들이 점차 줄어든다. 몸 움직임이 어려워지고 먹는 것, 입는 것조차 어려워진다. 그러다가 급격하게 일상생활이 불가능해지고 몸의 기능이 생각을 도저히 따라갈 수 없는 상태가 된다. 좋아하는 일을 할 수 없거나 사랑하는 사람들을 기억하지도 못하는 상황에서 연명한다는 것은 얼마나 의미가 있는 걸까.

영화는 자신이 선택한 방식으로 자기 삶을 마감하는 과정을 담담하게 이야기한다. 타인의 죽음을 객관적으로 볼 기회가 없는 관객들에게 저마다의 소중한 추억을 불러내게 한다. 자신이나 주변 사람들과의 갈등을 화해하고 다쳤던 마음들을 위무하는 장면을 보여준다.

"더는 이 상태로 살고 싶지 않다. 이런 삶을 원치 않아. 그러니 나는 이젠 죽고 싶다. 이게 내 뜻이야." 앙드레는 자기 죽음을 딸들에게 설득하기 위하여 딸의 휴대전화를 들고, 85년이란 삶을 살아내고 세상에 남길 마지막 유언을 전한다.

영화를 마치고 불쑥 내가 마시는 마지막 커피는 언제일까라는 의문이 들었다. 커피는 마시고 싶다고 마실 수 있지 않다. 건강이나 시간 그리고 커피 값이 주머니에 허락되어야만 마실 수 있다. 목숨 끝에서까지 커피 잔을 들어 올릴 수 있는 행운을 갖게 될까. 아니면 그보다 훨씬 앞서 좋아하는 커피를 끊어야만 할까. 내가 마시는 마지막 커피는 과연 어떤 맛일까. 어쩌면 인생 마지막 장면에서 커피 한 모금 마실 수 있는 감사를 누릴 수 있기나 할 건가.

내 친구는 나

은퇴를 하고 보니 만나야하는 사람들이 갑자기 줄어들었다. 하루에 처리해야하는 일의 건수도 대폭 줄었다. '어쩔 수 없는'이라는 수식어가 붙는 일들이 줄어들었다. 큰 소용도 없는 미팅, 별 쓸모없이 보이는 대화, 피치 못할 술자리. 아! 좋다.

이런 것들이 줄어드니 초기에는 은근히 불안한 느낌도 있었다. 생활의 관성은 무료함을 견디기 힘들게 했다. 누군가 말했다. "여백을 만들어보세요. 공백이 아니고요." 공감은 했지만 내게는 공백이나 여백이나 그다지 다르지 않았다. 얼마간 공백을 즐긴 다음 생각을 바꿨다.

전환기라 생각했다. 평생을 비슷한 속도로 달릴 수는 없지 않은가. 브레이크를 밟아 속도를 떨어뜨리며 언젠가 멈출 준비를 미리 준비해야한다고 생각하니 마음이 편안해졌다. 주변 사람들이 줄어드니 만나게 되는 사람들을 전보다 자세히 볼 수 있었다. 좀 더 나를 들여다보는 기회가 많아졌고 그런 시간도 점차 늘어났다.

'내 친구는 나다'라는 생각에 이르자 나를 포함한 내 친구들에게 진정 잘 해 주고 싶어졌다. 좋은 관계는 자연스러움에서 나온다. 무리하지 않아야 스트레스가 쌓이지 않고 편안한 상태를 유지할 수 있다. 열정이나 집요함, 갈망은 탐욕의 또 다른 이름일 수 있다. 사람과 사물을 보는 눈에 조금씩 더 온기가 스며든다. 아직 부족하지만 내 눈길에는 편안함, 호기심, 놀라운 경탄들이 좀 더 깃들 수 있기를 소망한다. 혼자면 독서, 둘이면 대화, 셋이면 합창, 넷이면 운동이란 말이 떠오른다. 고립되지 않고 누구든지 무엇이든지 함께 할 수 있는 동시에 혼자도 가능하고 싶다.

나를 내 친구로 삼기로 마음먹은 요즈음, 그만두었던 '마음챙김 명상(마인드풀니스:Mindfulness)'을 다시 계속하고 있다. 1979년 미국 매사추세츠주립대 병원의 존 카밧진 교수가 개발한 8주간 명상 프로그램 'MBSR'이다. 그 효과가 전 세계에 알려진 '마음챙김 명상' 클래스 첫날에는 건포도 명상을 진행한다. 초심으로 돌아가 오감을 통해 느끼고 씹고 삼키며 10여분 정도 건포도를 가지고 명상한다.

지금 내 손바닥에 건포도 한 알을 올려놓는다. 손바닥에 툭 놓여지는 진동이 머릿속으로 전해진다. 무게는 별로 느껴지지 않는다. 가만히 들여다본다. 색깔은 검다. 붉은 포도 한 알이 말라서 쪼그라든 겉면의 주름이 어두워 보인다. 한쪽 귀퉁이에 흠집도 보인다. 어디에 부딪쳐서 흠이 생겼을까. 건포도를 손가락으로 집어 들어 입안에 넣는다. 혀에 올린 건포도를 가만히 굴려서 촉감을 느낀다. 이 건포도 알은 어떤 얼굴을 가진 농부가 키웠을까. 그의 집과 가족은 어떻게 생겼을까. 어떻게 갈무리되고 유통되어 여기까지 왔을까. 어떤 배를 타고 왔을까. 농부의 노고에 고마움을 느끼며 앞니로 가만히 깨물어 본다. 달고 새콤하며 와이니한 자극으로 입안에는 침이 계속 고인다. 명상은 호흡명상, 자애명상, 걷기명상으로 이어진다.

명상 스승은 장현갑 선생님이셨다. 남들은 우리나라 심리학계 거장이라지만 무척 친절하고 다정한 분이셨다. 인생의 엄청난 불운을 명상으로 승화시키신 분이다. 명상에 입문하여 기초를 배웠다. 안타깝게 유명을 달리하여 고향 칠곡에서 영면하신다. 덕성여대 김정호 교수의 동북심리지원센터에서도 명상을 배웠다. 의대를 중퇴하고 사제가 된, 프랑스 출신 캐나다인 서명원 교수님의 강의도 인상적이었다. 서강대를 은퇴하시던 해였는데, '도전돌밭공동체'를 만들었고 그곳으로 옮기셨다는 그에게 불교와 명상을 다시 새롭게 배웠다. 내가 읽었던 『우파니샤드』를 아주 다르게 해석했다. 수녀 출신으로 환속한 종교학자 카렌 암스트롱의 『축의 시대』와 움베르토 에코의 『장미의 이름』을 여러 번 읽었다.

서강대를 은퇴한 길희성 교수님이 살고 계시는 강화도 내가면 '심도학사'를 찾은 적이 있다. 길 교수님의 강독으로 전국에서 모여든 분들과 함께 『바가바드기타』를 공부했다. 명상과 독서와 성찰로 이어지던 이틀간의 공부를 잊지 못한다. 잠시 뒷산에 올라 피보다 붉은 진달래꽃 사이를 산책하며 발아래 펼쳐지는 내가저수지를 망연하게 바라보며 담소했다. 떠나오며 건네시는 역저 『보살 예수』 서명본을 소중하게 받아들고 자주 찾으리라 다짐했으나, 세월은 속절없이 흘러만 간다. 조만간 길 교수님의 『마이스터 엑카르트의 영성사상』을 공부하리라 마음먹는다.

전철이나 카페에서 보면 누구나 여러 가지 일들을 한꺼번에 하는 모습이 익숙하다. 길을 가면서도 이어폰을 끼고 한 손에 든 핸드폰 화면에 집중한다. 명상을 다시 시작하며 내 친구인 나를 덜 혹사시키려 마음먹었다. 가급적 멀티태스킹을 줄이고 한 순간에 가능한 한 가지 동작이나 행위만을 하기로 했다. 욕심 부리지 않고 한가지에만 집중하기로 했다. 사회적 존재인 인간이 스스로 친구가 되는 명상적 생활은 멀티태스킹의 생산성제고도 중요하다. 하지만 잠시 멈춤, 순간의 깊이와 질, 태도에서 결정되는 것이라 믿는다.

Dance in the rain!

Life isn't about waiting
for the storm to pass...
It's about learning to
dance in the rain.

- Vivian Greene

인생이란

폭풍우가 지나가길 기다리는 것이 아니라...

빗속에서도 춤추는 법을 배우는 것이다.

Epilogue

모든 사람은 서로 다르다. 같은 형상을 보아도 눈앞에 보이는 것만 보는 사람이 있는 반면, 눈에 보이지 않는 여러 가지 인상을 다양하게 느끼고 읽어내 즐기는 사람도 있다. 다름은 틀림보다 큰 그릇일 테지만 항상 습관적으로 맞고 틀림을 먼저 대조하는 삶을 살아왔다. 게다가 왠지 불안하게 쫓기듯 빠른 시간에 정답을 찾아가는 인생을 살아왔다. 이제는 더욱 찬찬히 자연과 시간을 다시 보며 살아가고 싶다.

비아 씨가 베란다에서 부른다.
"저기 뒷산에 꽃 봤어요? 하루 사이에 꽃들이 활짝 폈어요."
베란다로 나가서 창밖에 인왕산을 바라본다. 지난 해 산불과, 겨울을 이겨낸 검은색 바위와 짙은 녹색 소나무 사이에서 노란색 개나리, 분홍빛 진달래가 불쑥 다가선다.
"어제 토마토 박스에 들어 온 노린재를 창 밖에 날려 보낼 때도 못 봤는데......"
 부부가 합창하듯 함께 소리 낸다.

"아! 하루 사이에 봄이 왔구나."

이렇게 올해 봄, 그러니까 내게 다가온 67번째 봄도, 불현듯 하루 사이에 시작되었다. 약동하는 새로운 봄에, 어설픈 이 글을 마무리하며 다짐한다. 오늘까지 이렇게 살아온 내가, 내일도 살아나갈 나에게 조용히 부탁한다.

소소한 기쁨, 놀라움, 호기심, 깊은 연민…… 이외에도 많은 긍정적인 정서들이, 나와 우리 가족 또 언젠가 나를 스쳐갔던 수많은 사람들과 함께 할 수 있기를 간절하게 기원한다. 자기역사를 함께 집필했던 오영훈 작가님, 신형균 작가님, 이재권 작가님 그리고 뛰어난 길잡이 김호영 작가님께도 깊은 감사를 드린다.

길을 걷다가 잠시 꽃그늘 아래로 걸어 들어간다. 고개 들어 올려보면 연두색 어린 잎사귀와 하늘거리는 꽃잎이 아름답다. 바람에 꽃향기가 실려 온다. 꽃과 나뭇잎 사이로 푸른 하늘이 보인다. 그리고 멈추었던 발을 힘차게 쏟아져 내리는 햇빛 속으로 다시 내딛는다.

살아 나가다보면 앞으로도 여름 장마와 홍수, 겨울 칼바람과 추위, 폭설이 우리를 툭툭 건드리겠지만, 그러한 모든 것들 속에 우리가 함께 부대끼며 살아가는 것이려니…… 가끔 짙푸른 하늘과 새털구름, 푸르른 녹음과 붉은 단풍을 어루만지는 명주바람을 문득 만나길 기대하며……

부 록

역사 연표 및 에피소드

연도	나의 연보	한국현대사	에피소드
1957	음력7.9 출생	- 한국생산성본부 창립 - 소련 세계 최초 인공위성 스푸트니크 1호 발사 - 쿠바혁명	- 강원도 양구군에서 출생
1958	유년시절	- 진보당 사건으로 조봉암 등 간첩혐의 구속	- 직업 군인인 부친의 잦은 이동으로 전방 지역을 전전
1959		- 중국 인도 국경 분쟁	- 조용하고 심심한 아이
1960		- 제4대 정·부통령 선거, 3.15부정선거 - 4.19혁명. 이승만 대통령 하야. 과도 허정 내각수립 - 윤보선 제4대 대통령 취임	- 어머니는 당구장 부업으로 재미
1961		- 5.16군사정변→국가재건 최고 회의 구성, 혁명공약, 부정축재 처리법 공표 - 장면 내각 총사퇴(5.18)	- 경기도 소사읍(현 부천시) 이사
1962		- 경공업 중심, 제1차 경제개발 5개년 계획(1962~1966) - 북한, 4대군사노선 채택	
1963	소사남국민학교 입학	- 제5대 대통령 선거(박정희 대통령 당선, 제3공화국)	- 한 살 먼저 국민학교 입학
1964	소남국 2학년	- 6.3시위: 한일협정 반대운동 - 인민혁명당 사건 - 미터법 실시	
1965	소남국 3학년	- 베트남파병 - 한·일 국교 정상화 협정	- 이윤복의 일기 『저 하늘에도 슬픔이』 책 읽고 영화 관람
1966	소남국 4학년	- 브라운 각서 - 한미행정협정(SOFA)	- 동네 아이들과 오대부두으로 고기잡이 다녀옴

1967	소남국 5학년	- 제2차 경제개발 5개년 계획(1967~1971) - 제6대 대통령 선거(5.3 박정희 당선)	- 소사극장에서 『사격장의 아이들』 단체 관람
1968	소남국 6학년	- 무장간첩 김신조 등 31명 남파 - 북한, 미군 푸에블로호 나포 - 울진·삼척 무장공비 침투 - 국민교육헌장 선포(12.5)	- 국민교육헌장을 암기하지 못하면 밤이 늦어도 외워야 하교시킴
1969	인천남중학교 입학	- 6차 개헌, 3선개헌(중임제한 폐지) - 닉슨독트린 발표 - 경인고속도로 개통(7.21)	- 입시 개혁으로 서울로 진학 금지 - 3:1이 넘는 경쟁률 속에 인천남중학교 합격 - 도서반 활동, 무협지 탐닉
1970	남중 2학년	- 8.15선언 - 전태일 분신사건, 근로기준법 준수요구 - 경부고속도로 개통, 새마을운동 시작	- 광석라디오 조립에 심취 - 사진반 활동
1971	남중 3학년	- 남북 적십자회담 제의 - 7대 대통령 선거 박정희 당선	- 태권도 정도관 초단 취득 - 남중 성적우수 동상 표창
1972	인천고등학교 입학	- 남북적십자회담 개최. 7.4남북공동성명:남북조절위원회 설치 - 8.3 사채동결조치 - 7차 개헌: 10월 유신헌법(10.27, 제4 공화국)	- 르네상스라는 단어에 강한 매력을 느낌 - 수돗가에서 입학 선물 오리엔트 시계 분실
1973	인고 2학년	- 6.23 평화통일 선언 - 김대중 일본 동경에서 피랍사건	- 인생의 좌우명 설정 : 성실, 자신, 여유, 용기, 의지, 인내라는 6각형 모델 설정
1974	인고 3학년	- 민청학련 사건, 긴급조치 선포 - 박정희 대통령 암살 미수사건, 육영수 여사 피살 - 경인선 전철 개통	- 조선일보 주최 경기교육감기 미술대회 입선 - 육사를 지원하라는 부친의 의사에 반해 일반 대학으로 진학
1975	건국대학교 입학	- 제2차 인혁당 사건 - 대통령 긴급조치 9호 발표	- 아시아중장비기술학원 불도저반 이수 - 대학교 휴교령

			- MRA 활동. 농촌 봉사활동
1976	건대 2학년	- 3.1 명동성당에서 민주구국선언 - 판문점 도끼 만행 사건	- 농촌 봉사활동
1977	건대 3학년	- 제4차 경제개발 5개년 계획 (1977~1981) - 수출목표 100억 달러 달성	- ROTC 입단 - 학교앞 하숙 생활 시작 - 민속연구회 활동 탈춤 공연
1978	건대 4학년	- 세종문회회관 개관 - 자연보호헌장 선포	- 수원농림고등학교에서 교생 실습
1979	소위 임관 육군 입대	- YH여성노동자 사건, 부마항쟁 - 10.26사태(박정희 대통령 사망) - 12.12사태(신군부가 군권 장악) - 통일주체 국민회의에서 10대 최규하 대통령 선출	- 2.24 대학교 졸업(2급 정교사 취득) - 예비역 육군 소위 임관, 2월 광주 보병학교 입교 - 보병 제 28사단 80연대 3대대 9중대 화기소대장 부임 - 28사단 유격장 구조물 공사 소대장 - 10.26 당일 서울로 행군하다가 유격장으로 다시 복귀
1980	중위 진급	- 서울의 봄→유신헌법 폐지, 전두환 퇴진, 비상계엄 폐지 요구 - 5.18 광주민주화운동 발발→전국 대학교 휴교령 - 국보위비상대책위원회 설치 - 8차 개헌(대통령 간선제-7년 단임)	- DMZ 철책 경계 소대장 - 소대전투시험 우수, 사격우수, 정보우수 표창
1981	육군 제대 한국일보 입사	- 제5공화국 전두환 정부 탄생 - 수출 200억불 달성 - 제5차 경제사회발전 5개년 계획 발표	- 9월 6일 자동차 운전 면허 취득 - 11월 5일 한국일보 일간스포츠 광고국 배치 - 첫 자동차 포니1 구입
1982	한국일보 일간스포츠 입사	- 부산 미국문화원 방화 사건 - 야간 통행금지 실시 - 중고생 두발 교복자율화	- 식생활개선 캠페인 등 기획 제작 - 광고 마케팅 다수
1983		- KBS 이산가족 찾기 생방송(6.30) - 미얀마 아웅산 묘역 폭탄테러 사건	- 서울사진학원 수료

1984	한국일보 퇴사 주)희망조경 창업	- 요한 바오로 2세 방한(5.3) - LA 올림픽	- 교통사고로 병원 생활 - 서울역 현대침구학원에서 침술, 뜸, 부항 등 한의학 배움 - 조경사업 구상, 단종면허를 임대하여 식재공사 시행 - 서울예전 동랑종합예술아카데미 사진반 수료
1985	풍림조경공사 창업	- 남북 이산가족 공동방문단, 예술단 상호 교류	- 풍림조경 재 창업 - 이북5도청에 이산가족 면회 신청
1986	한국생산성본부 입사	- 부천경찰서 권인숙 성고문 사건 - 제10회 아시아 경기대회 서울 개최	- 홍보출판부 근무 - 월간 기업경영 취재, 편집 및 마케팅 업무
1987	KPC사사 발간 결혼	- 박종철 고문치사 사건→4.13호헌(대통령 간접선거 헌법 유지)조치 - 6월항쟁(직선제요구)→6.29선언 - 대통령 직선제(5년 단임제 개헌) 대한항공 858편 폭파 사건	- "한국생산성운동 30년사" 제작 - 결혼, 구로구 대림동 다가구에 전세로 신혼 시작 - 첫날 밤 칼 든 도둑 침입 시도하다 실패
1988	회원봉사부 아들 경근 출생	- 7.7선언:남북한 대결외교 종식, 남북 이산가족 교류추진 - 서울올림픽대회 개최(9.17) - 제6공화국	- 부천 성가병원에서 아들 경근 출생 - 건국대 산업대학원 산업공학과 공정관리 전공 입학 - 업무 우수자 표창
1989	회원사업부	- 전국교직원 노동조합(전교조) 결성	- 차량을 활용하여 생산성회원 업체 대폭 확장 - 독립문 형무소 체육관에서 검도 시작
1990	영상교재부	- 소련과 수교 - 남북 고위급 회담 시작 - 민정·민주·공화 3당 합당으로 민주 자유당 창당	- 일본 JPC, APO 등의 시청각 교재 제작 판매 - 35mm 영화 "철판을 수놓는 어머니" 기획, 제작 참여 - 대학원 졸업 산업공학 석사 학위 취득
1991	미디어사업부 딸 채린 출생	- 남북한 UN 동시가입. 남북기본합의서 채택 - 나진, 선봉 자유무역지대 설치,	- 6월 19일 딸 채린, 부천 성가병원에서 2.69Kg으로 출생 - 7월 14일 장인어른 서울대 병원

		공포	에서 폐암 뇌전이로 돌아가심
1992	미디어사업부	- 중국과 수교(대만과 단교 발표) - 한반도 비핵화공동선언	- 5년 근속 표창
1993	홍보팀장	- 제14대 김영삼 대통령 취임(2.25, 문민정부) - 금융실명제 실시 - 김정일 국방위원장 취임	- 출입기자 간담회 정례화
1994	홍보팀장	- 김일성 사망 - 우루과이라운드 타결 - 성수대교 붕괴 사고(10.21)	- 보도자료 배포 시스템 구축
1995	홍보팀장	- 쓰레기 수수료 종량제(1.1) - 삼풍백화점 붕괴(6.29) - 지방자치 실시	- 문화일보에 교육개혁 관련 시청각 교재 기획기사 작성
1996	경영교육부 사내교육 전문위원	- 경제개발기구(OECD) 가입	- 마케팅 교육 업무 담당 - 검도 다시 시작
1997	창업교육팀장	- 11월 국가부도사태: IMF체제 돌입	- 업무 우수 표창 - 대한검도회, 초단 승단 - 실업자 재취업훈련 기획, 제안
1998	마케팅교육팀장	- 김대중 정부 출범(2.25,국민의 정부) - 햇볕정책 표방 - 11월 금강산 관광사업 시작:정주영 명예회장 소 500마리 동반 방북	- 근로복지공단 생업자금 심사위원 - 경주에서 감수성훈련(ST) 이수 - 한국산업카운슬러협회 직업상담원, 산업카운슬러 자격 취득 - 『성공퇴직 올가이드』 한언출판사 공저 집필
1999	경영지도사 취득	- 대우사태, 김우중 회장 퇴임	- 경영지도사(마케팅) 자격 취득 - 소자본창업지도사 과정 운영 - 『누구나 쉽게 할 수 있는 문서서식 300+』 출간, 더난출판사
2000		- 남북 정상회담, 6.15 남북공동선언 - Y2K 문제로 혼란	- 소자본 창업컨설턴트협회 발족 - 프랜차이즈컨설턴트 과정 운영
2001		- IMF 지원자금 전액 상환	- 프랜리더스클럽 발족

		- 언론사 세무조사 전격 실시	- 판매관리사 자격(대한상공회의소) 취득 - 연세대학교 경영대학원 마케팅 연구과정 이수 - 마라톤 대회 참가 시작
2002	ITQ센터장	- 한일월드컵 축구대회 개최	- 북한산 "백운대 100번 등산" 시도했으나 60여회 후 중단 - 정보기술자격(ITQ) 한국직업능력개발원으로부터 국가공인 자격 획득 - 15년 장기 근속 표창
2003		- 대구 지하철 화재 참사(2.28) - 제 16대 노무현 대통령 취임(2.25, 참여정부) - 개성공단 조성 시작	- 아이들에게 헤드폰 선물 - 부천집 지하 침수로 방수공사 4일간 220만원 지급(재료비 70만원과 인건비) - 5월 상암경기장에서 오페라 투란도트 관람:경근이는 공연 중간에 혼자 먼저 귀가, 서로 다른 기억 - 상공회의소, 워드·[illegible] 자격 취득
2004	검정사업센터장	- 노무현 대통령 탄핵 소추안 통과(3.12) - 고속철(KTX) 개통(4.1)	- ITQ, i-Top 정보화능력 경진대회 전주에서 첫 개최 - 경근이의 게임 전화요금 고액 부과
2005		- 청계천 복원 - 황우석 논문조작 사건 - 호주제 폐지	- 마라톤 풀코스 첫 완주
2006	정보화사업본부 본부장	- 반기문 유엔사무총장 선출 - 박근혜 피습→여당 지방선거 참패	- 이러닝지도사 2급 취득(사, 한국U러닝연합회) - 후쿠오카 골프 라운드 - 선문대학교 ITQ 산학협력식 - 『적선통신』 출간 - 다면평가제 최고 평점
2007	대구지역본부장	- 10.4 남북공동선언 - 남북 정상회담	- 20년 장기 근속 표창 - 경북 산업평화대상 심사위원 - 경북지방고용심의위원 위촉

			- 대구 동구 행정혁신 위원 참여 - 12월 14일 오후 5시 50분 대구를 출발하여 3시간 38분동안 287Km를 운전하여 9시 28분에 서울 집 도착 - 중국 계림 직원 워크숍
2008	대구지역본부 본부장	- 제17대 이명박 대통령 취임(2.25) - 미국산 소고기 수입반대 촛불집회(광우병 파동) - 2008 금융위기	- 경북대학교 사회교육원 커피전문가 과정 수료 - 한국커피교육협회 바리스타 2급 취득 - 지역본부 직원들과 부부 동반 대마도 여행
2009	대구지역본부 본부장 어머님 돌아가심	- 노무현 대통령 자살 사건(5.23) - 김대중 대통령 서거(8.18)	- 2009.1.11. 어머님 원자력병원 장례식장, 수원 연화장 모심 - 일본 가루이자와 한일 CEO 연수 - 해기사면허 취득 - 경북 희망근로추진위원회 위원 위촉 - 대구경북직훈위원회 심의위원 위촉 - 영천시, 전원생활체험학교 교육과정 수료 - 장사익 공연 관람
2010	인적자본개발 본부장	- 천안함 폭침 사건(3.26) - G20 서울 정상회의(11.11) - 북한 연평도 포격사건(11.23)	- 신촌으로 이주 - 목동 청소년수련관에서 매주 토요일 새벽 모노핀 수영 시작 - 교육안내 책자 대폭 증보 제작하여 최동규 회장 극찬 - APO Innovation Educational Program 이수 - 한국고미술협회, 고미술품 감정 아카데미 수료 - 예비군 지휘관 선발 면접관 참여
2011	인적자본개발 본부장 아들 경근 논산 군 입대	- 김정일 사망(12.17) - 아덴만 여명작전 성공	- 채린 성균관대 디자인학과 입학 - 전각 배움, 렉스골프연습장 - 경근 정보처리기사 1급 취득 - 일본 JPC주관, 제56회 가루이자와 최고 경영진 세미나 참가

			- DMC 클러스터 Award 자문위원 참여 - 서울요트아카데미 딩기요트 초급 과정 수료
2012	인적자본개발 본부장	- 싸이 강남스타일로 월드스타 등극	- KPC ERP 시스템 도입 제안 및 구축 실무 책임 추진 - 9월 3일 고용노동부 직업능력개발유공자로 국무총리 표창 - 세이브더칠드런의 아프리카 염소 보내기 후원 참여 - 서울디지털대 미술경영학과 입학
2013	사회능력개발원 원장/대표이사 취임	- 박근혜 대통령 취임(2.25) - 통진당 내란음모 사건으로 이석기 의원 구속 - 경제민주화와 갑질 횡포 논란	- 서유럽 4개국 10일 여행 329만원(8.31~9.10) - 고용노동부 직업훈련서비스 발전협의회 위원 - 한국원격교육원위원회 위원 위촉 - 동국대 평생교육원 아트마켓&아트테크과정 수료 - 세종문화회관, 정오의 미술산책 과정 수료 - 『적선통신』 재판 출간
2014	사회능력개발원 원장/대표이사	- 세월호 침몰사건(4.16) - 프란치스코 교황 방한	- 인생 마지막 공룡능선 종주 - 서울디지털대 미술경영학과 졸업 미술학사, 부전공 평생교육학 - 한국학점은행협의회 표창장 수여 - 중소기업중앙회 문화경영최고경영자과정 수료
2015	사회능력개발원 원장/대표이사 퇴임	- 김영삼 대통령 서거 - 62년만에 간통죄 폐지	- 평생교육사 자격 취득 - 극심한 편두통으로 세브란스병원 치료 - 한국외국어대학교 영어 20주 과정 수료 - 이탈리아 여행 및 피렌체 체류(10~12월) - 11월 10일 프란치스코 교황님 조우
2016	서울50플러스재단 모더레이터	- 알파고 충격 - 경주지진(규모5.8) 발생 - 최순실 국정농단 사건	- 공공기관 전문 면접관 활동 - 커뮤니티 심사 및 지원 - 매일경제신문사, 전문면접관 교육

	아버님 돌아가심		과정 수료 - 서울시 공공미술 시민발굴단 동상 수상(외국인 서울 조각여행 코스 발굴) - 제4기 서울시 시정학교 수료 - 서울역 초록산책단 과정 수료 - "서울로 식물 산책" 집필 출간 참여 - 아버님 치매 진단, 요양보호사 학원 수강 후 자격 취득
2017	서울50플러스 재단 모더레이터	- 3월 10일 박근혜 대통령 탄핵 - 문재인 대통령 취임	- 서울시립미술관 시민큐레이터 양성과정 수료 - 오픈스페이스(OST) 퍼실리테이터 활동 - 무역인협회 라운드테이블 진행 - 보람일자리 성과보고회 사회 진행(신촌 거구장)
2018	서울50플러스 재단/기획자문위원 경근과 정상미 혼인	- '미투' 이슈 전국 강타 - 이명박 대통령 구속 - 주 52시간 제도 시행	- 마음챙김 명상(조선일보 장현갑 박사)과정 수료 - 서울시립대 ICDM, 도시재생 공동체 갈등관리 교육과정 수료 - 은평구평생학습관에서 "나는 어떤 사진가인가?" 강의 - 보람일자리 성과보고회 사회 진행(서울 시민청) - 백상치과 임플란트 시작
2019	서울50플러스 재단 모더레이터/기획자문위원	- 조국 사태 - 일본 제품 불매운동 - "기생충" 칸에서 황금종려상 수상 - 정부 부동산 18차 대책 폭망	- 서울자유시민대학 명예시민학사 학위 취득 - 한국퍼실리테이터협회, 퍼실리테이터 양성과정 수료 - 지속가능경영재단 OST 진행
2020	서울50플러스 재단 모더레이터/기획자문위원	- 국내 코로나19 환자 첫 발생 (1.2) - 박원순, 오거돈 시장 성추행사건 - 17대 총선 더불어민주당 180석, 입법 독주 시작	- 『적선통신』 부크크, 복간 - 안산시근로자복지관 OST 진행 - 경기교육청 정책리더 원탁회의 진행 - 서울50+재단, 클립스 『앙코르 전직지원』 과정 개발 참여, 특화과정 책임 개발

2021	마포노인복지관 상담사	- 전두환, 노태우 씨 사망 - 코스피 사상 처음 3000고지 돌파 - 방탄소년단 12주간 빌보드 차트 1위	- 서울50+재단, K-MOOC 모니터링단 활동 - 서울시평생교육진흥원, 교육디자인 툴킷 퍼실리테이터 양성과정 수료 - 재취업지원컨설턴트 자격 취득
2022	카페리 바리스타	- 러시아 우크라이나 침공(2.24) - 누리호 발사 성공(6.21) - 이태원 해밀톤호텔 골목 핼러윈 참사(10.29)	- 아파트 리모델링해서 홍제동으로 다시 이주 - 월드커피바리스타협회 바리스타 시험 감독관 - 천안함 마라톤 10Km 완주 - 코로나 감염
2023	바리스타 트레이너	- 빌라왕, 건축왕 전세사기 도미노 - 20대 윤석열 대통령 취임(5.10) - 오픈AI의 인공지능 챗GPT 확산 - 팔레스타인 하마스 이스라엘 기습	- 마포시니어클럽 바리스타 직무교육 강사, 트레이너 - 교통방송 "시민응원 캠페인" 출연 - SCA 바리스타 프로페셔널 취득 - SCA 브루잉 프로페셔널 취득 - 『스무 살 수집책』 1인1책 출간
2024			- 마포시니어클럽, 꿈의숲종합사회복지관 등 출강 - 로스트마스터, 커피지도사1급 취득 - 자서전 『설레며 가는 길』, 사진시집 『가족, 기억을 이음』 집필 출간